그럼에도 지구는 오늘도 정상운영

# 그럼에도 지구는 오늘도 정상운영

장새리

신승철

남우형

원나윤

이정우

윤종원

김체리

## 들어가며

그런 날이 있습니다. 해결할 수 없고 답도 보이지 않는 끔찍한 일이 우릴 덮치는 그런 날이요. 마치 천재지변 같은 그런 날. 한심하기에 짝이 없는 자신을 원망하거나, 꼴도 보기 싫은 누군가를 원망하기도 합니다. 아니면 이런 세상이 밉기도 하고요. 유난히 길고 긴 밤. 차라리 내일이 오지 않았으면 합니다.

24시간 빙글빙글 돌아가는 지구. 말 못 할 고민으로 밤새 잠 못 이루거나 눈물이 핑 도는 슬픈 일이 있어도, 힘들고 괴로워 땅이 꺼지랴 깊은 한숨을 내뱉어도, 외롭고 쓸쓸한 마음에 걷고 또 걸어도, 크게 좌절해 아무것도 하고 싶지 않더라도 지구는 이런 우리 맘을 아는지 모르는지 돌고 또 돕니다.

그래도, 녀석이 태양을 바라보며 자전하는 덕분에 언제나 오늘이 찾아옵니다. 사람은 어쩔 수 없이 과거와 미래에 얽혀 살아가죠. 하지만, 삶이 한 권의 책이라면 마음 아프고 속상했던 어제는 이미 넘긴 페이지입니다. 걱정되는 내일은 아직 넘길 수 없죠. 유일하게 아무것도 쓰이지 않은 오늘의 페이지. 거기에 우리는 무엇이든 써볼 수 있습니다.

지구에서 서로 다른 시간과 장소를 여행하던 우리 9명은 각자의 마음을 담아 글을 써 내려갔습니다. 어디에도 없는 우리만의 특별한 이야기라 생각했지만, 마침표를 찍고 보니 이 글을 보는 당신의 이야기이기도 했네요.

당신이 어제 써 내려간 그 이야기. 우리도 조금은 이해할 수 있습니다. 잘 버티셨어요. 대단하셨습니다. 당신이 새롭게 써 내려갈 오늘의 페이지엔 기쁨과 즐거움이 가득하길 바라봅니다.

- 공동저자 中  신승철

## 차 례

# 마을 사람들

## 장새리

장새리 나는 처음엔 소설을 좋아하지 않았다. 등장인물 이름 외우기도 벅찼기 때문이었다. 소설을 좋아하는 친구를 만나고 난 뒤부터 소설에 인식이 바꿨다. 친구는 소설을 추천해 주고 귀찮을 정도로 읽어봤는지 물어봤다. 줄거리를 묻는 친구 덕분에 소설을 읽어야 했고, 읽고는 토론해야 했다. 토론을 한 후엔 같은 책을 여러 관점에서 생각할 수 있는 것이 내 이해의 폭을 더 넓혀주었다. 그렇게 나는 소설을 좋아하게 되었다.

instagram : @ce_real0894

나는 길을 잃었다……. 눈 앞을 가리는 모래바람으로 인해 발로 느껴지는 감촉에 의존하며 무작정 앞을 향해 걸어 나갔다. 사람의 형태라곤 찾아볼 수 없는 드넓은 들판과 군데군데 작은 풀꽃만이 있을 뿐이었다. 나는 무조건 내 뒤에 있는 커다란 돔과 멀어지고 싶었다. 그렇게 한참을 걸었을까, 모래바람 틈으로 사람의 형태가 나를 향해 걸어오고 있었다. 반가운 나머지 한걸음에 그 형태를 향해 달려갔다가 이내 피투성이가 된 소년을 보고 뒷걸음을 쳤다. 팔에 익숙한 피부병과 이를 칼로 긁은 듯한 상처들이 가득했다. 소년은 나를 보고 곧바로 쓰러졌다. 나는 당황한 기색을 애써 숨기며 작은 나의 등으로 작은 소년을 둘러메며 작게 욕을 찌그렸다. '어쩌자고 내 앞에서 쓰러진 거야.' 얼마나 걸었을까? 키가 작고 콧수염이 수더분하게 생긴 남자가 업힌 소년을 보고 나에게로 달려왔다. 그 노인은 나의 옷차림을 보더니 경계하는 듯 쳐다보고는 나에게서 소년을 빼앗아 들고 이내 근처에 있는 둥근 흰 천으로 덮인 천막 안으로 들어갔다.

그런 수모를 당했는데도 나는 소년의 팔에 난 상처가 계속 신경 쓰였다. 그 노인은 소년을 뉘고 밖에 나와 담배 한 개비를 입에 물고는 나한테 쏘아대듯이 물었다. "여기는 어쩐 일로 돔 사람이 나와 있습니까? 당신도 병에 걸린 게요?" 그 노인의 말투는 상당히 날카로웠다. 나는 무례한 노인을 향해 되물었다. "제가 저 소년처럼 비덴타병에 걸린 것처럼 보입니까?" '비덴타'라는 말에 노인의 동공은 커지며 나에게 비덴타병을 아냐고 물었다. "내가 저 거지 같은 비덴타병을 치료하다가 돔 밖을 나오게 됐는데 모를 일이 있겠어요?" 나는 저 무례한 노인에게 지기 싫어 강하게 되받아쳤다. 하지만 노인은 이상하게 만큼 생긴 콧수염을 실룩거릴 뿐 내 버릇없는 말에는 어떠한 말을 대꾸하지 않았다. 다만 병을 치료한다는 말에 적잖이 놀래 보였다. 밥이라도 얻어먹으려 했지만, 노인의 반응을 보니 얻어먹기는 그른 거 같아 자리를 박차고 일어났다.

그러자 노인은 내 팔을 움켜쥐고 비덴타병을 치료할 수 있냐고 나의 얼굴과 가까이 마주하였다. 나는 놀란 마음을 뒤로 하고 침착하게 말하였다. "저는 돔 안에서 의사였어요. 몰래 병에 걸린 사람들을 치료해 주다가 감옥에 갇히게 되었지만요." 내 말이 끝나게도 무섭게 노인은 어떻게 치료하게 됐었는지, 어떻게 돔 밖으로 나오게 되었는지 자세하게 말해 달라고 하였다. 나는 회상하듯이 말을 이어 나갔다.

'언제부터인지 비덴타병이라고 불리는 피부병이 돔 안에 퍼지게 되었다. 이를 치료하는 치료제마저 없어 많은 사람이 피부병에 걸리게 되었고, 정부는 이들을 모두 돔 밖으로 내보내기 시작하였다. 옆집에 아저씨는 이를 보고 피부병 걸린 사람들을 숨겨주기 시작하였고, 우연히 재배한 꿀풀이 피부병을 낫게 한다는 것을 알게 되었다. 그래서 정부로 편지를 보냈지만, 며칠이건 답장은 돌아오지 않았다. 상심한 아저씨를 도와 같이 피부병을 같이 치료해 주게 되었고, 약초 또한 몰래 재배하다가 누군가의 밀고를 통해 감옥에 갇히게 되었다. 감옥에는 병과 관련하여 병에 걸린 사람들을 숨겨준 사람들과 아픈 사람들을 강제 노동을 시키기 위해 약취와 감금 등의 범죄에 가담한 사람들로 뒤섞여 있었다.

감옥에서 내 이름이 불릴 때 나는 몰래 내 가슴팍에 있는 작은 약초를 창틀에 숨겨 두고 다른 수감자들과 함께 불려 나갔다. 작은 방에 한 데 모여 작은 화면으로 돔 밖 사람들의 포악함과 돔 사람들의 우월성에 대해 연신 나올 뿐이었다.

나는 이내 두 눈을 질끈 감아 버렸다. 그렇게 작은 방에서의 3일이 지나서야 나는 작은 방에서 나올 수 있었다. 다시 감옥에 들어가니 창틀에 놓았던 작은 싹에 꽃이 피어 있었다. 감옥 사람들이 자신의 물을 조금씩 아껴 놨다가 작은 생명한테 준 모양이었다. 그 꽃을 보니 정신이 번쩍 들면서 화가 치밀어 왔다. '내가 도대체 무엇을 그렇게도 잘못했단 말인가.' 꽃을 한창 보고 있으니, 누군가가 나를 불렀다. 경감이었다. 경감은 쇠창살 사이에 나를 지긋이 보고 있었다. 그리곤 이내 고개를 돌렸다.

　나는 경감을 따라 작은 방으로 갔고, 방안에 둘만 있는 것을 확인한 경감은 자신의 소매를 걷어 올리며 비덴타병에 걸린 자기 팔뚝을 보여주었다. 그는 이 병을 아무도 모르게 치료해달라고 했고, 나는 약초를 구하려면 돔 밖으로 나가야 한다고 그를 설득했다. 그 설득이 통했는지 그는 돔 밖에서 약초를 구해오는 것을 허가하였고, 도망갈 것을 방지하고자 그의 측근을 감시자로 동행해 나가기로 하였다.'

　나는 어떻게 돔 밖으로 나올 수 있었는지 짧고 간결하게 설명하였다. 차분히 듣고 있던 노인은 어떻게 치료했는지 물어봤고, 나는 마지못해 천막 근처에 널리고 널린 풀 한 포기를 꺾어 들었다. 그리곤 그 풀을 들고 천막 안에 있는 절구로 다져 소년의 상처에 '척'하니 붙였다. "하루 푹 자고 일어나면 간지러움이 덜 할 거예요. 하지만 약초를 달여야지만 병이 완전히 나을 겁니다." 노인은 두 눈이 휘둥그레졌다. "이렇게 간단합니까?" 그의 말이 미묘하게 공손해진 것을 느낄 수 있었다. 나는 내색하지 않고 내 할 말만 했다. "그나저나 먹을 거 좀 있을까요? 하루 종일 먹지를 못해서……." 노인은 자리에서 일어나 나를 위해 먹을 것들을 바리바리 가져오며 말했다.

　"내가 괜한 오해를 한 거 같습니다. 괜찮으시다면 병에 걸린 사람들이 모여 사는 마을이 있는데 거기에 있는 사람들을 좀 봐주시면 안되겠습니까?" 노인은 처음과 다르게 공손하게 나에게 부탁하였다. 어차피 갈 곳이 없었다. 그냥 하루 묵을 숙소하고 먹을 거나 챙겨서 떠날 마음으로 뱃속에 허기를 채우고는 노인을 따라 안내한 마을로 들어섰다.

들어서자마자 알 수 없는 악취가 코끝을 건들었다. 마을 사람들은 나의 옷차림과 행색을 보더니 경계의 눈으로 나를 쳐다보고 있었다. 나도 지지 않으려는 고집으로 그들을 쳐다봤다. 노인의 말을 시작으로 마을에 있는 100여 명의 사람들이 일제히 노인을 쳐다보았다.

"여러분 돔에서 의사가 왔습니다. 치료가 급한 사람 순으로 마을 중앙으로 모이세요." 마을 사람들의 눈이 반짝이더니 노인에게 어찌된 영문인지 물었다. "이장님 저 사람이 어찌 믿을 사람인지 알고 치료를 맡깁니까?"란 말에 노인은 소년이 있는 처소를 가리키며 말하였다. "지금 동주가 치료를 받고 있습니다. 약초를 상처에 대니 짧은 시간에 상처가 많이 아물었습니다. 지금 유일하게 희망은 저기 계시는 의사입니다, 그동안 그대들이 많이 힘들어하지 않았습니까? 그러니 이 희망을 저 의사에게 걸어 볼 만하지 않습니까?" 이장이라고 불리는 노인의 말에 동조하는 듯 보였다. 사실 나는 그들을 도와주고 싶지 않았다. 빨리 나를 따라다니는 저 감시자의 눈을 피해 어디든 도망쳐 버리고 싶을 뿐이었다. 지금이라도 도망칠까? 여러 가지 생각이 머릿속을 헤집을 때 아이들의 웃음소리에 정신이 차려졌다. 가려운 팔을 계속 긁으면서도 아이들과 재미있게 뛰놀고 있는 아이들을 보니 저 아이들은 저 병이 얼마나 무서운 병인지 알까? 하는 연민의 마음이 들었다.

이내 마음을 다잡고 말하였다. "3일 동안 저에게 묵을 집과 식량을 주세요. 모든 사람은 치료할 수는 없겠지만 최대한 도와드리고 떠나겠습니다." 나는 3일만 도와주고 감시자의 눈을 피해 다른 곳으로 도망갈 생각이었다. 그저 내가 이들을 도와주는 건 의사라는 일말의 양심뿐이었다.

병을 치료하는 동안 아무것도 나에 관해 물어보지 않았으면 했다. 어차피 3일 있다가 떠날 사람인데 낯선 이방인에게 관심을 안 가졌으면 했다. 하지만 마을 사람들은 나에 대해서 궁금한 것이 많아 보였다. 이것저것 물어보다 이내 내가 말이 없어지니 머쓱했는지 침상에 누워 치료받고 있던 20대 내 나이 또래로 보이는 환자가 이런저런 이야기를 나에게 해주었다. 너무나도 알고 싶지 않은 내용이었다.

자신은 돔 안에서 생활하다 어머니와 자신이 피부병에 걸려 돔 밖으로 나와 아버지와 생이별을 했다고 한다. 어떤 환자는 병에 걸린 부모가 자식들의 손가락에 병을 옮기자, 자식의 손가락을 자른 이야기, 돔 안에 정부 사람들이 비덴타병에 걸린 사람들을 한데 모아 산 채로 묻은 이야기, 나는 그들의 하는 인간의 잔혹한 이야기를 어떠한 대꾸도 하지 않은 채 듣고만 있을 뿐이었다. 나는 이 병에 걸린 사람들을 치료하다 감옥에서 모질게 수난을 당했던 것만 생각하면 화가 나고 괜히 아픈 사람들을 치료하겠다고 한 자신이 후회였다. 감옥에 갔다 온 뒤부터는 다시는 병에 걸린 사람들과 얽히지 않으리라 생각했지만, 이렇게 돔 밖으로 나와서도 아픈 사람들과 얽히니 답답할 노릇이었다.

나는 이야기를 한참 듣다가 거즈가 다 떨어진 것을 알고 이야기를 그만 듣고 싶어 자리에서 일어섰다. 여분에 거즈가 어디에 있는지 물어보면 되지만 괜히 그러고 싶지 않았다. 이리저리 돌아다니며 시간을 보내고 있을 때 나를 도와 병에 걸린 사람들을 치료하던 마을 이장이 나를 불러 세웠다. "지금 시간 괜찮으시면 저의 천막에 가서 소독약 좀 주실 수 있을까요?" 마을 이장은 처음과는 다르게 정중하게 말을 걸어왔다. 나를 도와 환자들을 치료하는 모습을 보니 한편으로는 말투로 사람을 평가하는 거 같아 미안한 마음이 들었다.

'알겠습니다' 라는 대답과 함께 마을 이장이 말한 천막에 들어와 소독약을 찾으려 구석구석 찾아보았다. 그냥 없다고 하고 돌아설까 하면서 뒤를 돌았을 때 작은 서랍이 눈에 띄었다. 꼭 그 안에 보면 안 될 물건이 들어 있을 거 같은 기분이 들었다. 그냥 갈까? 열어 볼까? 고민하다 작은 서랍 앞에 섰다. 서랍을 열어보니 작은 종이 뭉치들이 겹

겹이 쌓여 있었다. 한장 한장 넘겨 보다 익숙한 종이를 보고 멈칫거렸다. 옆집 아저씨가 비덴타병을 치료하는 방법이 있으니 돔 밖으로 사람들을 내보내지 말라는 탄원서였다. 이걸 왜 저 노인이 갖고 있는 걸까… 손발이 덜덜 떨리기 시작하면서 그동안 했던 고생들이 생각나기 시작하였다. 한동안 서있으니 내 눈앞에 그 고약한 노인이 모습을 드러냈다.

노인은 내 손에 있는 종이 뭉치들을 보더니 두 눈이 커지며 나에게 달려왔다. "이게 왜 이장님께 있는 겁니까?" 나의 물음에 노인은 무릎을 꿇은 채 돔 안에서의 이야기를 해주었다.

돔 안에서의 노인과 소년은 순혈주의 정부로부터 돔 밖에서 온 사람들을 쫓아낼 명분을 만들고자 새로운 병을 만들라는 지시를 받았다. 그들은 새로운 병인 비덴타병을 만들었으며 이 병을 통해 사람들을 쫓아낼 수 있었다. 하지만 치료제가 있다는 편지를 받고 노인과 소년은 치료제를 만들어 병에 걸린 사람들에게 팔아 이익을 취하려 했지만 이내 자신들이 만들어낸 병에 걸려 쫓겨났다고 노인은 설명해주었다.

노인은 끝까지 자신은 정부로부터 지시를 받은 것을 해야 했다며 눈물을 보였지만 사람들을 이렇게까지 만들게 된 것에 대한 일말의 죄책감은 없어 보였다. 처음부터 마음에 들지 않은 이유가 있었다.

정말로 끝이다. 나는 나를 부르는 노인의 말을 들은 채도 하지 않은 채 천막 밖으로 나와버렸다. 모든 것이 다 지긋지긋해졌다. 아무것도 모르고 이 자를 마을 이장이라며 칭송하는 환자들도 바보 같아 보였다. 약초를 한 아름 따온 사람들이 나를 선생님이라고 부르며 어디 가냐 물었지만 들은 채도 하지 않고 빠른 걸음으로 그들을 피해 도망쳤다. 순간 욱하는 마음으로 무작정 마을을 나왔지만 앞으로 어떻게 할지 막막해졌다. 하지만 어디든 저기보단 나을 거 같았다. 눈물이 났다. 돔 안에서 평화로웠던 시간이 그리워졌다. 병에 걸린 사람들만 치료를 안 했다면 나는 감옥에 갈 일도 없었고, 이렇게 지옥 같은 돔 밖에서 이런 고생을 하지 않았을 텐데, 한참을 걸었을까, 하늘은 검은색으로 물들고 사람들 대화 소리에 정신을 차려보니 낯선 곳에 와 있었다. 사람들은 저마다 횃불을 들고 있었다. 처음 보는 따뜻하고 환한 기운에 이끌리듯이 그들을 따라나섰다. 그들은 처소에 모여 큰 상 앞에 자리를 잡고 앉았다. 나는 주저하며 처소 밖에 웅크려 앉아 밖에서 대화 소리에 유심히 귀를 기울였다.

저 대화 소리가 멈추면 가서 하룻밤만 재워달라는 심상이었다. 눈을 감고 언제 끝날까? 하는 생각이 들 때 쯤 병에 걸린 마을이라는 단어에 번뜻 눈이 뜨여졌다. "저 병든 사람들이 모여 사는 동네 아마도 돔 안에서 왔다 카지요? 으메 드르브라 병균 옮은 거 아니에요?" "쫓겨난 건 불쌍하지만, 우리도 살아야죠?" "원래 저 사람들이 사는 동네가 우리땅입니더 그 옆에 강가를 차지하려면 몰아내야 합니더." 저마다 마을 사람들을 욕하는 소리가 들려왔다. 혐오의 말과 부정적인 말들을 듣지 않으려고 도망쳐 나왔지만, 도망친 곳에도 혐오의 말들로 넘쳐 났다. 여기서 마저 도망치면 난 더 이상 갈 곳이 없다고 느낄 때쯤 불을 지르려 사람을 보냈다는 말에 나도 모르게 '헉'하는 소리가 났다. 소리가 꽤 컸는지 이야기를 멈추고 입구까지 걸어오는 소리가 들리자 잽싸게 그림자 속으로 몸을 숨겼다. 이를 말해 줘야 한다. 하지만 쉽사리 발걸음이 떨어지지 않았다. 내가 미워했던 사람들이다. 이들과 다시 엮인다면 또다시 귀찮은 상황들만 벌어질 것이다. 심장이 목구멍까지 넘어올 거 같았다. 감옥에서 세뇌당한 효과를 보는 건지 이성적 판단도 제대로 서지 않았다.

사실 불을 지펴 마을을 없앤다는 게 이해는 되지 않는다. 돔 안에서는 불이라는 게 없을뿐더러 연기가 나면 자동으로 통풍을 시켜주기 때문에 항상 맑은 공기를 맡을 수 있었기 때문이었다.

저 노인은 차별이라는 병을 만들어 사람들을 병에 걸리게 했으며 그걸 치료할 수 있었음에도 자신의 이익을 차지하기 위해 정부에 알리지 않고 계속해서 죄를 만들었다. 병에 걸린 사람들도 불법으로 돔 안으로 들어와 계속해서 자기 자손들을 낳았다. 어쩌면 그들이 고통스러운 것은 자연의 이치는 아닐까? 하는 합리화를 하기 시작하자 마음이 편해졌다. 이번만 모른척하고 도망가면 고통받지 않을까? 난 생각이 들었다. 어디 가든 이곳보다 더 좋은 곳이 있을 거란 생각에 휩

싸이면서 난 또 도망치듯이 마을과 반대 방향으로 걸었다.

　밤하늘의 별을 따라 미래에 대한 걱정과 불안한 마음을 조금씩 덜어내며 앞도 보이지 않은 깜깜한 밤을 걷고 또 걸었다.

　큰소리와 함께 저 멀리서 큰불이 내 걸음을 멈추게 하였다. 그것을 보자 큰 굉음과 눈이 부실 정도의 밝은 빛을 보니 심장이 쿵쾅거리기 시작하였다. 그리고 이내 밝은 불에 향해 달려드는 불나방처럼 그쪽을 향해 나를 뛰게 하였다. 아무 생각도 나지 않았다. 꼭 가야 할 거 같았다. 그동안 이방인인 나를 따뜻하게 맞이해준 사람들의 얼굴이 스쳐 지나갔다. 마지막까지 치료 못 해준 20대 환자, 나에게 치료해 줘서 고맙다고 자신이 가지고 있는 옷 중 가장 예쁜 옷을 준 사람들, 살 희망이 없다고 죽음을 택하려 했던 동주마저 생각이 났다. 이럴 거면 잘해주지 말지……. 어느새 마음 한구석에 자리 잡은 죄책감과 그들이 잘못될지 하는 생각들이 들기 시작했다. 모래밭에 처박혀도 일어나서 달리고 또 달렸다.

　어느새 마을에 도착했을 때 사람들이 나를 잡고 울며 살아있어 줘서 정말 고맙다고, 마을 사람들은 죄책감에 뒤엉킨 나를 위해 울어주었다. 그들의 살 집이 불에 타 없어지고 있는데 나 하나 살아 있다고 다행이라고 울어주는 사람들이 나의 죄책감을 더 크게 만들었다. 사람들은 불을 끄려고 강가에 물을 끼얹기 시작했다. 나와 같이 돔 안에서 온 감시자 역시 내가 도망간 줄은 모르고 옆에서 마을 사람들을 도와주고 있었다. 서로를 도와주는 마을 사람들을 보니 내가 괴물이라고 생각했던 사람들이 저들이 아니라 나였을지도 모른다는 생각이 들었다. 나는 정신을 차리고 그들을 따라 불을 끄는 데에만 열중하였다.

　한나절이나 걸렸다. 그런데도 큰불은 어느 정도 사라졌지만, 작은 불씨들은 여전히 군데군데 남아있었다. 다들 지쳐 보였다. 주위를 둘러보니 살 집을 잃었다고 우는 사람들과 가족이 집에서 못 빠져나왔다고 우는 소리들이 들려왔다. 끔찍했다. 저 끝에서 노인이 진흙으로 된 바닥에 털썩 앉아 고개를 떨군 모습이 보였다. 나도 모르게 슬쩍 그 노인 옆에 앉았다. 노인은 내 인기척에 한숨을 푹 쉬고는 말을 걸어왔다. "살아줘서 고맙습니다. 제가 지은 벌을 이렇게 받나 봅니다." 노인의 한마디에서 모든 심정을 느낄 수 있었다. 후회 속에서 살아왔을 것이다. 그래서 이렇게 마을을 만들고 병에 걸린 사람들을 도와 치료제 연구에 힘을 쏟았을 것이다. 서랍 속에 있던 종이 뭉치에서부터 느껴졌었다. 하지만 돔 밖에서 흔한 약초가 돔 안에서는 불법으로 재배해야지만 만들어 낼 수 있을 거란 건 상상조차 할 수 없었을 것이다. 노인은 자신의 욕심이었음을 인정했다.

　그렇게 마을사람들은 각자 힘든 시간들을 보내고 있다.

큰 차 소리에 정신이 들 때 몇 대의 큰 트럭들이 마을에 들어오고 있었다. 불이 난 걸 보고 그 주변에 사는 토착민들이 먹을 것과 마실 것, 입을, 그것들을 챙겨 와주었다. 사람들은 트럭에서 내려 괜찮은지 물어도 보고 따뜻한 주먹밥을 주면서 작은 위로를 건네주었다. 어느 새 정돈된 마을을 보니 힘내서 내가 당장 할 수 있는 일부터 해나겠다는 생각으로 몸을 일으켜 세웠다. 널브러져 있는 사람들을 치료하고 있으니, 사람들이 모두 일어나 각자의 일들을 하기 시작하였다.

그렇게 지옥 같은 시간이 지나가고 사람들을 치료하는 일에만 열중했다. 마을 사람들 도움으로 많은 비덴타병에 걸린 사람들을 치료할 수 있었다. 마을의 불씨들은 아직 살아 있지만 그냥 그대로 놔두기로 한 모양이다. 그렇게 약속한 하루의 마지막 밤이었다. 사람들을 이제야 웃음이 생겨났다. 한동안은 눈물로 지새웠지만 그 눈물은 아무것도 해결해주지 않다는 것을 깨 닿은 것 같았다. 아이들도 같이 토착민의 아이들과 어울려 놀고 있었고, 토착민들도 자신들이 병에 옮을 것이라는 생각은 하지 않는 듯 웃으며 이야기꽃을 피우고 있었다. 노인과 동주라는 처음에 만난 소년도 묵묵히 약초를 캐울뿐이었다. 비가내리기 시작했다. 사람들은 비를 피하려 각자의 처소로 들어갔지만 나는 처음 맞아보는 비가 신기했다. 시원하기도 하고 살짝 아프기도했다. 그렇게 나와 노인과 동주 셋이 비를 맞아 서로를 향해 웃었다.

남을 이해하기엔 내 세계는 너무 좁았다는 생각이 들었다.

"그만하고 들어와요~머리 다 빠지겠네!"

사람들의 외침에 하하하 웃으며 내 마음속 마지막 남은 죄책감을
빗물과 함께 씻어냈다.

사람들은 내가 간다고 먹을, 그것을 바리바리 챙겨 주셨다. "그동
안 너무 고생 많았습니다. 보고 싶을 거예요. "노인이 나에게 악수를
청하였다. 아이들도 고맙다며 나를 와락 껴안아 주었다. 나는 눈물을
닦으며 다시 만날 날을 기약하며 돔을 향해 걸어 나아갔다. 한참을 걷
는데 감시자가 처음으로 나에게 물었다. "앞으로 어떻게 하실 거예
요?" 나는 곰곰이 생각했다.

"돔에 있는 사람들이 서로의 편견과 혐오를 없애고 싶어요. 그래서
제가 할 수 있는 일부터 해보려고요. 우선 경감을 치료해 줄 거예요"
그 말을 들은 감시자는 펄쩍 뛰었다. "안 됩니다. 그자는 고통 속에서
살아야 합니다. 똑같이 쫓겨나 고생해야 한다고요" "마음같이 선 저
도 그리고 싶은데 차별은 차별로 없어지지 않는다는 거 잘 아시잖아
요. 토착민들이 불을 지를 때 우리는 우리의 일을 하고 있으니 오히려
다른 토착민들과 주변에서 아무 대가 없이 서로를 도운 모습을 보셨
잖아요." 나는 땅만 보고 걸으며 계속해서 말을 이어갔다. "똑같이 화
를 내고 거기에 발끈하여 같은 사람이 되지 않고 오히려 순순히 받아

들여 그 사람들을 변화시킬 수 있다는 믿음을 들게 했어요.”

　나는 경감과 약속대로 돔 밖에서 있었던 일들을 모두 경감에게 말할 것이다. 그가 어떻게 생각할지는 모르겠지만 내가 느꼈던 감정들을 하나도 빠짐없이 말하고 싶다. 그리고 그를 치료하고 더 이상 혐오와 차별을 없애고 돔 안의 사람들 치료하게 해달라고 부탁할 생각이었다.

　“경감은 저를 죽일 수도 있어야 하지만 더 이상 도망치고 싶지 않아요. 그래서 두렵지만 일단 해보려고요.” 그 말을 들은 감시자는 웃으며 몸에 있던 명패를 문지기 두 명에게 보여주었다. 그러자 문지기들은 돔 앞을 가로막고 있던 무거운 철문을 힘차게 열었다.

행복 제작소에 오신 걸 환영합니다.

신승철

신승철    긴 시간 부모님과 아이들을 상담했다. 항상 마음에 품던 작가라는 꿈을
          이루고 싶어 무작정 일을 그만두고, 현재 무엇이든 닥치는 대로 써보고
          있다. 하던 일 덕분에 인간의 내면이나 대인관계에 관심이 많다. 그리
          고 미약하지만, 그것들은 글이 되고 있다. 언젠간 많은 이들을 위로하
          는 소설가가 되고 싶다. 시간이 아주 오래 걸려도 말이다.

          instagram : @star_infp

오랜만에 조수석에 앉았다. 두툼한 코트를 걸쳤지만, 자동차 안은 입김이 나올 정도로 추웠다. 운전 경력이 3개월 된, 최 대리를 대신해 손을 뻗어 히터를 틀었다. 나오는 바람이 아직 미지근했지만, 그럭저럭 견딜만했다. 운전석에 앉은 그녀는 긴 머리를 끈으로 묶더니 핸들을 있는 힘껏 쥐었다.

　"과장님, 괜찮을까요? 오늘 생일인데…. 사고 나는 건 아니겠죠?"

　일주일에 최소 3일은 오고 다니는 길이다. 집중해서 봐야 할 신호나 다른 자동차도 거의 없어, 초보 운전자에게 이만한 코스도 없었다. 마음 한구석에 그녀와 같은 걱정이 들었지만, 호탕하게 웃으며 괜찮다고 했다. 그러다 문뜩, 그녀의 나이가 궁금했다.

　"저요? 과장님. 여태 제 나이도 모르셨어요? 오늘 앞자리 바뀌었잖아요. 서른 살."

　서른 살. 그리고 생일. 나도 모르게 살며시 입꼬리가 올라갔다. 손으로 턱 끝을 매만지며 그녀에게 요즘 행복하냐고 물었다. 그 질문에 최 대리는 핸들을 손에서 떼더니 고개를 좌우로 흔들어 댔다. 이유를 묻자, 눈코 뜰 새 없이 바빠, 그런 걸 신경 쓸 겨를이 없다며 한숨을 내쉬었다. 나는 팔짱을 끼며 그녀에게 다시 물었다.

"최 대리님. 인생에서 무엇이 바뀌면 행복할 것 같아?"

믿지 않아도 좋다. 하지만 사실이다. 사람은 누구나 서른 살이 되는 날, '행복 제작소'에 초대된다. 눈을 감아봤다. 그리고 그날의 기억이 떠올랐다.

늦은 저녁이 되니 제법 쌀쌀해 손을 점퍼 주머니 깊숙이 찔러 넣었다. 입에선 뿌연 입김이 담배 연기처럼 나오더니 흩어져 사라졌다. 퇴근하며 매일 오르는 언덕이지만, 유난히 발은 무거웠고 온종일 들이켠 커피로 머리는 멍했다.

당연했다. 새로운 프로젝트 계획으로 밥 먹듯 야근한 게 벌써 석 달째다. 하지만, 오늘은 특별한 날이지 않은가? 12시가 넘기 전에 급히 모니터 전원을 눌렀고, 가방을 대충 챙겨 문밖으로 뛰쳐나왔다. 동화 속 신데렐라처럼 말이다.

자정을 갓 넘긴 시간. 어두운 길엔 아무도 보이지 않았다. 그래서일까? 일정한 간격으로 발밑을 비추는 가로등의 주황색 불빛은 따스했다. 그때, 주머니 안으로 쥐고 있던 핸드폰에서 짧은 진동이 느껴졌다. 무거웠던 발걸음을 잠시 멈추고 핸드폰을 꺼냈다.

[예산 확인했어요. 다음부터는 기한 꼭 지켜주세요.]

도착한 문자에 입꼬리를 애써 올렸으나 마음 한편이 씁쓸했다. 그리고 퇴근 시간이 지났지만, 모두가 분주하던 아까 그 일이 떠올랐다.

"대리님! 죄송해요…. 급한 일이 있어서…. 예산은 어떡하죠?"

어떡하긴 뭘 어떡하냐? 나 혼자 해야지. 프로젝트 예산은 후배 직원의 몫이었다. 시간도 충분했는데 절반도 검토되지 않았다. 근데 그걸 나한테 미루고 집에 간다고? 간다가 살아 돌아와도 소리를 버럭 지를게 분명했다. 미친 거 아니냐는 말이 입 밖으로 쏟아져 나오려는 걸 간신히 참았다.

최 사원. 그녀는 밝고 착하지만 덤벙거려 실수를 자주 한다. 거기다가 오늘은 도를 넘어섰다. 모든 게 내 탓이다. 입사한 지 얼마 안 된 풋내기가 상처받을까 봐, 매번 좋게 말한 게 문제였다. 그리고 김 팀장. 그녀는 냉정하고 융통성은 눈곱만큼도 없다. 기획안 검토에 늦은 나를 어떻게 생각할지 걱정됐다.

그때였다. 오전에 진행될 브리핑 자료를 부장에게 보냈는지가 기억나지 않았다. 놓쳤다면 큰일이었다. 그리고 생각해 보니 언덕길에서 매일 보던 길고양이가 보이지 않았다. 어디 다치거나 무슨 일 있나? 갑자기 명치 부근이 쓰렸고 심장은 두근거렸다. 땅이 꺼질듯한 한숨 소리가 조용한 언덕길에 울려 퍼졌다.

아무튼, 나는 걱정이 많다. 없는 걱정도 만들며 살아가는 걸 보면 참으로 가엾고 고달픈 인생이다. 고개를 푹 숙인 채 걷다 보니 어느새 언덕 끝에 도착했다. 걱정으로 마음을 채우니 무언가로 배도 채워야 했다. 마침 길 건너편에 하얗게 빛나는 편의점 간판이 보여 급히 횡단보도를 건넜다.

"허허, 어서 오세요."

반들반들한 대머리, 동그란 검은색 뿔테안경, 입과 눈 주변으론 자글자글한 주름이 보였고 무엇보다 콧수염이 멋졌다. 야간에 있던 젊은 직원은 없고, 웬 처음 보는 할아버지가 사람 좋은 미소로 나를 반겼다.

원래 일하던 사람은 무슨 일이 있나? 이렇게 늦은 시간. 할아버지 홀로 편의점을 지킨다는 게 걱정됐다. 딱히 쓸데없는 걱정으로 할아버지에게 고개를 숙이며 카운터를 지나쳤다. 배에서 들리는 꼬르륵 소리에 곧장 걸어갔다. 그리고 컵라면이 층층이 쌓인 매대를 지나 간단한 냉장식품과 도시락이 쌓여있는 코너 앞에 섰다.

무엇으로 배울 채울지 눈을 이리저리 돌렸다. 안 그래도 고민 많은 타입인데 뭘 먹을지도 고민해야 한다니…. 잠시도 편한 마음 없는 일상이 야속했다. 한숨을 쉬며 제육볶음에 소시지가 곁들여진 도시락을 집었다. 그때, 무릎 아래로 손바닥보다 작은 초코케이크가 보였다.

도시락과 케이크를 한 손에 집어 카운터로 갔다. 그리고 지갑을 열어 신용카드를 꺼내 할아버지에게 건넸다. 카드를 받은 그는 계산은 하지 않고 나를 빤히 쳐다봤다. 그리곤 눈동자가 보이지 않을 정도로 환하게 웃으며 말했다.

"열두 시가 넘었으니, 오늘이 서른 번째 생일이네요?"

서른 살. 그리고 생일. 계산대에 올려진 케이크를 봤다. 생일이야 그렇다 치고 나이는 어떻게 알았을까? 기묘한 상황에 움직이던 손이 멈추고 눈은 동그래졌다.

"허허. 스스로가 잘 살아가고 있는지 한창 궁금할 나이죠. 어떻게 하면 더 행복할 수 있을지 고민하고 또 고민하세요. 항상 그래야 합니다. 알겠죠?"

갑자기 웬 행복 타령? 황당했다. 하지만 몸도 마음도 지친 오늘. 그의 짧은 몇 마디에 기운이 났다. 살며시 웃으며 할아버지에게 감사하다고 말했다. 그리고 도시락과 케이크를 넣은 비닐봉지를 집어 출입구로 걸어가 투명한 유리문을 손으로 밀며 밖으로 나갔다.

순간, 따스한 바람이 얼굴을 스쳤다. 저녁이라 어두워야 했는데 눈앞은 대낮처럼 환했고, 하늘은 푸른 동해처럼 파랬다. 칙칙한 아스팔트여야 할 바닥은 갈색 고운 흙이 깔려 있었고, 지금껏 본 적 없는 형형색색의 꽃들이 주변에 가득했다. 그리고 정면에 통나무로 된, 작은 집. 아니 오두막이 보였다.

꿈? 환상? 아니면 과로로 쓰러져 죽어 천국에 온 건가? 눈앞에 광경이 믿기지 않아 비닐봉지를 든 채로 얼어붙었다. 그때였다. 누군가 뒤에서 다가오더니 손으로 내 등을 쓸어내렸다.

"허허, 죽은 거 아니니 걱정하지 말게. 누구라도 여기에 오면 자네와 똑같은 생각을 하지. 확실히 말하자면 꿈이나 환상이 아니야. 그저 다른 공간일 뿐이지."

할아버지는 웃으며 내 등을 토닥였다. 그의 손은 투박했지만 따스했다. 실감 나는 그 온기에 여기가 꿈은 아니란 생각이 들어 손으로 내 볼을 집어 꼬집었다. 아팠다. 여기가 현실인지 가늠해 볼 수 있는 유일하고 단순한 방법이었다. 할아버지는 오른손을 펴 앞으로 내밀었고 그의 안내에 따라 오두막으로 걸어갔다. 열 걸음 정도 가니 문 앞에 도착했고 할아버지는 손으로 문고리를 돌리며 말했다.

"자. 행복 제작소에 온 걸 환영하네."

그는 손으로 내 어깨를 툭 치며 오두막 안으로 들어갔다. 대충 보기에도 입구가 낮았다. 나는 고개를 숙여 그를 따라 조심스레 문 안으로 걸어갔다. 고개를 이리저리 돌려 오두막 안을 살폈다. 바닥은 융으로 된 커다란 붉은색 카펫이 깔려 있었고 왼쪽 벽면에는 켜지 않은 난로가 있었다. 오른쪽 벽면에는 액자와 같은 커다란 판이 보였는데 무엇인지 알 수 없었다. 그리고 가운데엔 나무로 된 커다란 테이블이 놓여 있었는데 상당히 견고해 보였다.

할아버지는 양손으로 테이블 밑에 있던 의자를 꺼내어 나를 앉혔다. 그러더니 오두막 구석에 보이는 작고 고풍스러운 서랍장으로 가서 종이 몇 장을 들곤 나의 맞은편에 앉았다.

"이름 신승철. 나이 오늘로써 정확히 만 서른."

할아버지는 들고 있던 종이를 지그시 바라보며 내 이름과 나이를 확인했다. 나는 눈을 끔뻑이며 살며시 고개를 위아래로 흔들며 그를 바라봤다. 그는 쓰고 있던 뿔테안경을 손으로 고쳐 쓰더니 웃으며 들고 있던 종이를 테이블에 내려놓으며 말했다.

"허허, 사람은 누구나 서른 살이 되는 날, 여기 행복 제작소로 초대된다네. 이곳은 자네의 남은 인생을 지금보다 행복하게 살 수 있도록 도와줄 수 있지."

그는 말을 끝내고 자리에서 일어나, 벽에 걸려있던 커다란 판을 가져와 테이블 위에 조심스레 올려놓았다. 나무로 만든 갈색 판 위에는 무지갯빛으로 이뤄진 수십 개의 퍼즐 조각이 정확하게 맞춰 있었다. 그리고 조각마다 무언가 글씨가 각인되어 있었다. 나는 손으로 조심스레 퍼즐 판을 만지며 이게 무엇인지 물었다.

"이거 말인가? 허허, 한 마디로 자네의 인생 모든 게 담긴 퍼즐이네, 지난 삶에서 자네를 지나쳐간 감정이나 행동들을 나타내고 있지. 자 보게나. 어딘가 익숙하지 않은가?"

다시 고개를 내려 판을 봤다. 수많은 퍼즐은 저마다 크기가 달랐는데, 조각 위에 이해, 도전, 용기, 인내심, 우울, 슬픔과 같은 글자가 검은색으로 새겨 있었다. 그 중, 한 가운데 커다란 빨간색 퍼즐이 눈에 들어왔다. 그리고 그 위에는 걱정이란 글자가 각인되어 있었다.

"허허, 조각의 크기나 색이 모두 다르지? 그 이유는 말이야. 지금까지 자네에게 영향을 준 감정과 행동들의 크기를 보여주지. 여기 가장 구석에 '편안함'이라는 조각 보이지? 자네는 인생에서 편안함을 많이 못 느꼈다네. 그리고 가장 가운데 '걱정'이란 조각 보이나? 아마 눈치챘겠지만, 자네는 많은 걱정을 가슴에 품고 살아가고 있군."

정확했다. 그의 말처럼 삶에서 편안함을 느낀 적이 별로 없었다. 반대로 걱정은 많았다. 타고난 성격 탓인지 몰라도 걱정은 인생에서 떼려야 뗄 수 없는 그런 존재였다. 아니. 악연이었다. 이렇게 직접 보니 서글펐다. 그때, 할아버지가 말했다.

"그래서 말인데. 지금보다 더 행복하게 살아가기 위해 없애버리고 싶은 조각이 있는가? 물론 없다고 해도 괜찮네. 하지만 있다면 말해주게."

그의 물음에 퍼즐 판 가운데를 보며 '걱정'이란 조각을 손으로 만졌다. 내가 유난히 누군가의 눈치를 보고 할 일을 미루며 결정하지 못하고, 갈등을 싫어해 혼자서 끙끙 앓는 모든 게 걱정 때문이라 생각했다.

할아버지에게 조각을 없애면 어떻게 되는지 물었다. 그는 나를 향해 오른손 검지를 펴며, 내일 하루는 그 조각 없이 살 수 있다고 했다. 그리고 다음 날 다시 여기로 와서 원래 삶으로 돌아갈지 아니면 변화된 인생을 살아갈지 선택할 수 있다고 했다.

나는 걱정이란 글씨가 새겨진 커다란 퍼즐을 판에서 뗐다. 걱정. 걱정만 없다면 내 인생은 지금보다 행복해질 거란 확신이 있었다.

"이거요…. 걱정을 없애면 지금보다 행복할 것 같아요."

조각을 할아버지에게 건넸다. 그는 조각을 받더니 자신이 입고 있던 조끼 주머니에 넣곤 단추를 채웠다. 나는 머리를 긁적이며 이제 걱정이 안 생기는지 물었다. 그러자 그는 웃으며 고개를 저었다.

"허허, 그건 아니네. 살던 곳으로 돌아가면 또다시 자네에게 걱정이 찾아올 거야. 그때마다 핸드폰으로 문자가 갈 것이네. 그리고 지우고 싶은 걱정이 있다면 그 메시지를 삭제하면 된다네. 어때 간단하지?"

그는 한 손으로 턱을 괴더니 원래 작은 쪽지를 사용했으나 세상이 발전한 만큼, 핸드폰 문자로 바꿨다며 흡족해했다.

할아버지는 먼저 의자에서 일어나 오두막 출입문으로 걸어갔다. 나도 케이크와 도시락이 든 비닐봉지를 손에 들고 그의 옆으로 가 문고리를 잡았다. 그때였다. 할아버지는 손뼉을 한번 치더니 깜짝 놀라며, 걱정은 내일 아침부터 없앨 수 있다고 말했다. 그리곤 자글자글한 주름이 가득한 손으로 천천히 문고리를 돌렸다.

문이 열리자 나는 문밖으로 한 걸음 내디뎠다. 순간, 차가운 바람이 얼굴을 스쳤고 눈앞은 깜깜해졌다. 잠시 후, 서서히 앞이 보였다. 고개를 흔들며 정신을 차려보니 홀로 편의점 앞에 우두커니 서있었다. 재빨리 고개를 돌려 편의점 안을 들여다봤다. 투명한 유리문 너머로 할아버지는 보이지 않았고, 원래 일하던 젊은 남자가 계산대 앞에 있었다. 그는 나와 눈이 마주치자, 고개를 까딱였고 나도 살며시 고개를 숙였다.

점퍼 주머니를 뒤져 핸드폰을 꺼내 시간을 보니 12시 13분이었다. 꽤 오랜 시간 오두막에 있었던 것 같았는데 그렇지 않았다. 솔직히 조금 전 일이 믿기지 않았다. 그리고 무엇보다 피곤했다. 약간의 어지러움이 늦었지만 걷는 건 그럭저럭 괜찮아 집으로 발걸음을 옮겼다.

[멍! 멍멍!]

현관문 노란 불빛 아래. 새하얀 솜뭉치가 반갑다며 꼬리를 열심히 흔들었다. 보리. 올해 다섯 살 된 이 녀석은 나와 함께 지내는 강아지다. 본가에 사정이 생겨 데려온 지 1년이 지났는데 지긋지긋한 야근으로 매번 12시간이 넘도록 혼자 두어 미안한 마음이 있었다.

딱딱한 구두를 벗고 안으로 들어가 보리를 안았다. 녀석의 따뜻한 기운이 코트 넘어 가슴까지 들어왔다. 냉장고 아래에 보리가 마시는 물그릇은 거의 바닥이 보였다. 나는 녀석을 안은 채 물을 그릇에 담고, 싱크대 위에 있는 사료도 한 움큼 담았다. 긴 시간 집을 비워 식수와 사료는 충분히 줘야 했다. 정신없이 출근하는 날엔 이것들을 챙겼는지 기억나지 않아 급히 돌아오는 경우도 종종 있었다.

조금 어지러운 기운에 그대로 바닥에 앉았다. 7평이 조금 넘는 원룸. 바닥은 온기 없이 차가웠고, 켜두고 나간 TV 불빛만이 어두운 방을 비추고 있었다. 그러다가 현관을 봤는데 문 앞에 내려둔 가방이 눈에 들어왔다.

행복이고 뭐고 석 달이나 밤낮으로 계획한 프로젝트 제출이 내일이었다. 생일이라 일찍 퇴근했지만, 아직도 점검해야 할 게 많았다. 깊은 한숨 소리가 방안에 퍼졌다. '이렇게 난리를 치는데, 선정되지 않으면 어쩌지?', '몇 번이나 확인했지만, 실수한 건 없을까?' 하는 걱정이 들었다.

걱정? 코트 주머니에서 핸드폰을 꺼내 문자 수신함을 확인했지만, 도착한 문자는 없었다. 그때, 걱정을 지울 수 있는 건 내일 아침부터라는 할아버지 말이 떠올랐다. 프로젝트 최종 브리핑은 내일 오전. 적어도 지금부터 두 시간은 정리해야 했다. 입고 있던 코트만 벗어 의자에 걸어둔 채, 그대로 의자에 앉아 노트북을 켰다.

벽에 걸린 시계는 어느새 새벽 2시를 가리켰다. 노트북 전원을 끄고 화장실로 들어가 대충 얼굴을 씻었다. 눈앞에 칫솔이 보였으나 귀찮았다. 그대로 화장실 불을 끄고 나와 침대로 터벅터벅 걸어가 몸을 눕혔다.

최 사원이 책임지고 예산을 봐줬다면 내가 이 시간에 자는 일은 없었을 것이다. 한숨이 절로 났다. 혹여나 상처받을까 봐 미뤘는데 내일은 한 소리 해야 할 것 같았다. 걱정은 계속됐다. 하지만 눈꺼풀은 무거웠다.


[띠리리 - 띠리리리 -]

맹렬하게 울리는 알람이 귀를 때렸지만, 이불속으로 더 파고들었다. 그러나 함께 누워있던 보리가 얼굴을 핥아 다시 이불을 걷었다. 그리곤 오른손을 머리 위로 들어 핸드폰을 집어 알람을 껐다. 한동안 아무것도 하지 못하고 가만히 누워있었다. 무거운 돌덩이가 몸 전체를 누르는 것 같았는데, 확실히 잦은 야근으로 피로가 쌓인 듯했다. 나도 모르게 스르륵 눈이 다시 감겼다.

"어!?"

큰일이었다. 오전에 중요한 회의가 있는데 늦잠이라니. 목구멍이 좁아지고 심장은 두근거렸다. 그때였다. '띵'하는 소리가 핸드폰에서 울렸다. 문자. 그리고 걱정. 지난 저녁에 있던 일들이 생각나 허겁지겁 문자 수신함을 열었다.

[회사에 지각하면 어쩌지. 라는 걱정을 지우시겠습니까?]

침대에서 벌떡 일어나 눈을 비비며 다시 핸드폰을 확인했다. 꿈이나 환상이 아니었다. 서른이 된 어제. 행복 제작소에서 일어난 일들은 진짜였다. 한동안 수신된 문자를 멍하니 보다가 조심스레 손가락으로 문자를 삭제했다. 그리고 잠시 후.

"지각? 할 수도 있지 뭐?"

두근거리던 가슴이 진정됐다. 편안한 마음으로 침대에 앉아 손깍지를 끼고 스트레칭하니 개운했다. 침대에서 일어나 화장실로 천천히 걸어갔다. 정신없이 찬물로 씻어야 했지만 여유롭게 온수가 나오기를 기다렸다. 잠시 후, 머리부터 발끝까지 김이 모락모락 풍기는 따듯한 물에 몸을 맡겼다. 이미 지각한 몸이지만 괜찮았다. 생각해 보니 프로젝트 브리핑이 오전 10시에 시작해 시간은 넉넉했다. 여유로웠다. 편안했다. 마음이 편해지는 약. 마치 그런 걸 꿀꺽 삼킨 것처럼 말이다. 그랬다. 걱정이 사라졌다.

절로 웃음이 났다. 신기하고 설레는 마음으로 가방에 노트북을 넣고 얇은 패딩점퍼를 몸 위에 걸쳤다. 옆에 있던 보리가 꼬리를 흔들며 짖기 시작했다. 나는 녀석이 가장 좋아하는 말린 오리고기를 주고 머리를 쓰다듬어 주고는 문을 나섰다.

집을 나와 언덕을 내려가기 시작했다. 꿈만 같은 이야기가 현실이라니. 이렇게 발걸음이 가벼운 출근길은 난생처음이었다. 지하철역이 보이는 큰 대로변이 보였다. 그때, 보리와 같은 하얀색 몰티즈가 종종걸음으로 어떤 아저씨와 산책하고 있었다.

"어? 잠깐. 물 채워주고 왔나?"

믿을 수 없는 그런 날. 걱정은 없었지만, 정신도 없었다. 이 신비로운 능력에 정신 팔려 강아지가 마실 물을 채웠는지 기억나지 않았다. 그리고 동시에 핸드폰에서 '띵'하는 문자 알람이 들렸다. 가던 걸음을 멈추고 점퍼 주머니에서 핸드폰을 꺼냈다.

[강아지가 마실 물을 채웠는지. 라는 걱정을 지우시겠습니까?]

나는 한동안 제자리에 멈춰 핸드폰 화면을 쳐다봤다. 그리고 화면에 떠 있는 삭제 버튼을 눌렀다. 괜찮았다. 이전에도 이런 일이 있어 허겁지겁 돌아갔지만, 항상 그릇에 물이 가득 채워져 있었다. 그저 기우였다.

핸드폰을 점퍼 주머니에 넣고 다시 발걸음을 옮겼다. 역에 도착하니 출근하려는 사람들이 분주하게 계단을 뛰어 내려가고 있었다. 출근길은 여전히 전쟁터 같았지만, 걱정을 지울 수 있는 능력에 입꼬리가 살며시 올라갔다. 그들의 분위기에 맞춰 나도 계단을 뛰어 내려갔다.

개찰구가 내는 '삐-' 소리가 쉴 새 없이 들렸다. 그곳을 지나 한 층 더 내려가니 탑승구 앞에 수많은 사람이 줄지어 서 있었다. 이리저리 눈을 돌려 그나마 줄이 가장 짧은 곳을 찾아가 맨 뒤에 섰다. 애매했다. 길게 늘어선 줄을 보니, 잠시 후 도착하는 지하철에 타지 못하고 끊길 것 같았다.

[띵 - ]

핸드폰을 꺼내 확인하니 '지하철을 탈 수 있을지에 대한 걱정을 지우겠냐?'는 문자가 보였다. 그 말에 '큼' 하며 헛웃음을 지었다. 이렇게 작고 사소한 걱정도 지울 수 있다는 게 신기했다. 하지만 문자를 지우지 않고 핸드폰을 주머니에 다시 넣었다. 굳이 이런 걸 지우지 않아도 괜찮았다.

지하철이 도착했고 나는 사람들 사이로 억지로 몸을 구겨 넣었다. 다행히 도착한 열차를 탈 수 있었지만, 만원 열차 꼬리를 겨우 붙잡아 탄 덕에 얼굴은 출입문에 붙인 채 가야 했다. 회사까지는 3정거장. 10분 남짓 걸리는 짧은 거리지만, 몸은 구겨진 채로 숨쉬기도 어려운 지옥철을 타고 있자니 현기증이 났다.

익숙한 시간이 지나니 스피커에서 다음 역은 마곡역이라는 안내가 나왔다. 나는 빽빽이 들어선 사람들 틈에서 출구가 열리길 기다렸다. 역에 도착하자 열린 문으로 사람들이 쏟아져 내렸다. 핸드폰을 꺼내 시간을 보니 9시 정각이었다. 부지런히 뛴다면 회사까지 5분 정도 걸렸으나 여유롭게 에스컬레이터에 몸을 맡겼다. 역 밖으로 나오자 맞기 좋은 적당히 찬 바람이 몸을 지나갔다. 고개를 들으니 구름 한 점 없는 파란 하늘이 보였다. 지각한 출근길에 조급한 마음이 들어야 했지만 여유로웠다.

사무실 출입구에 사원증을 대고 들어가니, 직원들은 각자 자리에 앉아 모니터를 바라보며 마우스를 클릭하고 있었다. 조심스레 내 자리로 걸어가, 가방을 책상 위에 놓고 점퍼를 벗어 의자에 걸쳤다.

"어? 신 대리님. 늦었네요? 무슨 일 있었어요?"

김 팀장의 인사와 동시에 핸드폰에 문자가 도착했다. 나는 그녀에게 걸어가며 주머니에서 핸드폰을 꺼내 급히 문자 수신함을 확인했다.

[지각과 관련, 팀장이 날 어떻게 생각할지에 대한 걱정을 지우시 겠습니까?]

재빨리 문자를 삭제했다. 그렇지 않아도 어제 프로젝트 예산이 틀려 심기가 불편했을 그녀다. 거기다 오늘은 프로젝트 최종 브리핑이 있는 날. 이렇게 지각까지 했으니 한 소리 들을 게 뻔했다. 무엇보다 오랜 시간 성실함과 책임감을 쌓아왔다. 이런 일로 김 팀장의 신뢰를 잃을까 걱정됐다.

나는 그녀의 책상 앞에 섰다. 김 팀장은 특유의 무표정한 얼굴로 고개를 갸웃거렸는데, 그녀의 냉철한 성격을 보자면 공감이나 이해 받기는 어려워 보였다. 평소라면 경직된 표정과 몸짓으로 그럴싸한 핑계를 대거나 거짓말도 서슴지 않았을 것이다. 하지만 나는 걱정을 지웠다. 어깨를 펴며 당당히 잦은 야근으로 컨디션이 좋지 않아 늦잠 잤다고 말했다. 김 팀장의 눈이 순간 동그래지며 회의 자료 검토는 끝 났는지 물었다. 나는 들고 있던 가방에서 회의 자료를 그녀에게 건네며 수정된 예산과 사업 세부 내용을 간략히 설명했다. 김 팀장은 알겠다며 고개를 끄덕였다.

그녀의 말이 끝나자 나는 자리로 돌아갔다. 그때, 함께 프로젝트를 계획하는 최 사원이 책상 옆에 뻘쭘하게 서 있었다. 그녀의 눈은 웃고 있었지만, 입은 삐죽거리며 쳐져 있었다. 별다른 걱정은 없었다. 다만, 어제 일로 그녀의 눈을 마주치기가 꺼려졌다.

"대리님. 어젠 정말 죄송했습니다……."

나는 그녀와 눈도 마주치지 않은 채, 오른손을 한 번 흔들었다. 왜 이렇게 책임감이 없냐는 말이 목구멍을 넘어 입 밖으로 나오려 했으나 괜한 말로 상처 주긴 싫었다. 그리고 곧, 중요한 회의가 시작되니 그녀의 도움도 필요했다. 손에 든 자료를 그녀에게 건네며 회의 참석 인원대로 준비해 달라고 했다.

최 사원은 양손으로 자료를 덥석 받더니, 고개를 숙이며 사무실 뒤편 복사기로 향했다. 그녀는 긍정적이고 명랑하다. 하지만 덤벙거리는 면이 있어 혹여나 실수할까 봐 걱정됐다. 그때였다. 책상 위에 놓인 핸드폰에 문자가 도착했다.

[최 사원이 일 처리를 잘할 수 있을지. 라는 걱정을 지우시겠습니까?]

고개를 돌려 복사기 앞에서 바삐 손을 움직이는 그녀를 봤다. 쓸데없는 걱정이었다. 나는 삭제 버튼을 누르고 자리에 앉아 노트북 전원을 켰다. 모니터 화면 아래 시간을 보니 9시 30분. 최종 브리핑이 30분 남았었다. 새벽까지 걱정하며 자료를 점검했지만, 서른 페이지가 넘는 발표 자료를 일일이 한 장씩 넘기며 틀린 건 없는지 찾아봤다.

한참을 뚫어지게 모니터를 보고 있는데 뒤에서 인기척이 느껴졌다. 돌아보니 최 사원이 웃으며 정리된 자료를 들고 있었다.

"대리님! 이거 다 준비했는데요. 한 번 더 보실 거죠?"

걱정이 많고 꼼꼼하지 않은 탓에, 늘 두세 번 확인하는 게 일상이었다. 그러니 일 처리는 느렸고 누군가 보기가 답답했다. 평소라면 후

배가 들고 있는 자료를 다시 확인했을 테지만, 지금은 그럴 필요 없었다.

"괜찮을 것 같은데? 잘했겠지. 뭐."

나는 회의 자료 서너 장을 대충 넘겨보다가 그녀에게 줬다. 그리고 회의실에 미리 나눠 놓으라고 했다. 후배는 잠시 멈칫했으나 알겠다며 회의실로 걸어갔다. 잠시 후, 나도 이동식 디스크와 따로 정리한 서류를 들고 회의실로 향했다.

벽면에 걸린 하얀색 시계가 9시 50분을 가리켰다. 브리핑에 참석하는 직원들이 회의실로 들어왔다. 그리고 잠시 후, 김 팀장과 박 부장이 웃음기 없는 진지한 얼굴로 무언가 이야기를 나누며 들어와 자리에 앉았다.

10시 정각. 석 달 동안 머리를 쥐어 뜯어가며 계획한 프로젝트를 알리는 자리였다. 철저히 준비했지만 실수하진 않을지, 누군가 지적하거나 비판하진 않을지, 무엇보다 본사 제출이 보류되는 건 아닌지……. 물보라 치는 폭포처럼 걱정이 쏟아졌다. 손에는 땀이 흥건했고 심장이 요동쳤다. 다급히 테이블 밑으로 핸드폰을 힘껏 쥐었다. 그리고 곧바로 문자가 도착했다.

[새로운 프로젝트 기획안 발표와 관련된. 걱정을 지우시겠습니까?]

조금의 망설임 없이 재빨리 삭제 버튼을 눌렀다. 잠시 후, 머리에 쌓인 걱정들이 녹아내렸다. 머리가 맑아졌고 땀이 흥건했던 손은 보송했다. 그리고 두근거리던 가슴도 진정됐다. 긴장해 굳어버린 얼굴

근육이 풀리는 느낌이 들었다. 석 달이나 밤낮없이 야근하며 완벽하게 준비한 프로젝트다. 내가 가장 잘 알았다. 누가 어떻게 생각하는 건 중요하지 않았다. 발표가 끝나면 모두가 감탄할 것 같았다. 그랬다. 걱정을 날려버리니 자신감이 넘쳤다.

평소보다 목소리는 차분했지만 스스로 듣기에도 또렷하고 편안했다. 과장과 팀장, 다른 직원들이 나를 쳐다보는 시선이 부담스럽지 않았다. 다들 내 발표에 넋 나가 보였다. 프로젝트의 필요성과 목적, 사업 내용과 효과, 그리고 예산까지. 모든 걸 완벽하게 발표했다.

발표를 끝마치자, 회의실은 잠시 조용해졌다. 잠시 후, 여기저기서 탄성이 들렸고 몇몇 사람은 손뼉을 쳤다. 나와 마주 보고 앉아있던 박 부장도 살며시 미소를 지으며 고개를 끄덕였다.

"아니, 신 대리가 이렇게 말을 잘했어? 이야. 사람 몰라봤네? 근데, 프로젝트 내용이 너무 좋다. 발표는 잘 들리지도 않았어. 아무튼 이렇게 제출합시다."

회의실을 꽉 채우던 사람들이 회의실 밖으로 나갔다. 그리고 나는 최 사원과 단둘이 회의실에 남았다. 그녀는 내 옆으로 다가와 웃으며 두 엄지를 보였다. 불쾌했다. 이미 늦어 이야기하지 않았지만, 그녀가 준비한 자료에서 페이지가 한 장 빠져있었다. 어제 일로 벼루고, 있었는데 더 이상 참을 수 없었다. 하지만, 잠시 고개를 숙이며 눈을 감았다. 최 사원을 향한 쓴소리가 그녀에게 상처로 남지 않을까 걱정됐다. 걱정…. 손에 들린 핸드폰에서 짧은 진동이 느껴졌다.

[최 사원이 상처받지 않을지. 라는 걱정을 지우시겠습니까?]

손가락이 멈칫했다. 지금까지 거침없이 걱정을 지웠지만, 처음으로 지워도 될지 하는 걱정이 생겼다. 그때였다. 진동과 함께 같은 문자가 또다시 수신함에 들어왔다. 나는 옅은 한숨을 내쉬며 삭제 버튼을 눌렀다. 겹겹이 마음에 채워둔 자물쇠가 깨지며 분노가 밀려왔다. 회사라는 공간은 일을 하는 곳. 누군가에 대한 이해와 배려가 우선되는 것은 우스웠다. 미간을 힘껏 찌푸리고 그녀를 노려보며 말했다.

"아까 내가 말 안 했는데 회의자료 한 장 빠져있더라? 언제까지 매번 확인해야 해? 그렇게 간단한 것도 못 하면 앞으로 어떻게 같이 일해? 그리고, 어제는 진짜 미친 거 아니야? 적어도 본인이 맡은 부분은 자기가 책임져야 할 것 아니야. 근데, 그것도 안 하고 퇴근해? 제정신이야? 아무 말도 안 하니깐 내가 우습냐?"

한동안 지금껏 쌓인 감정을 그녀에게 쏟아냈다. 나는 이런 식이면 함께 일할 수 없다고 말했다. 그리고 최 사원이 들고 있던 회의 자료를 뺏어 들어 회의실 문을 세게 닫았다. 쾅 하는 소리가 귀를 때렸다. 며칠 전, 야식으로 먹은 치킨이 이제야 내려가는 기분이 들었다. 속이 후련했다. 그녀가 내 말에 상처받을지 말지는 중요하지 않았다. 해야 할 말을 했고, 이 일로 그녀가 성장했으면 했다.

씩씩거리며 자리로 돌아와 키패드를 눌러 노트북 잠금을 풀었다. 화면에는 프로젝트 기획안이 완료됐다는 초록색 알림이 보였다. 모니터 끝을 바라보니 11시를 가리키고 있었다. 기획안은 오후 2시까지 본부에 제출해야 했지만, 굳이 그럴 필요 없었다. 결재가 완료된 문서를 메일에 첨부해 발송 버튼을 눌렀다. 오전에 회의실에서 발표

한 모습이 떠올랐다. 걱정을 지워버리니 자신감도 넘치다니. 행복은 지금 여기에 있었다. 기지개를 켜며 자리에서 일어나, 팀장에게 기획안을 본부에 보냈다고 말했다.

"고생 많았어요. 워낙 걱정이 많은 타입이니깐 따로 체크 안 할게요? 그리고 신 대리. 오늘따라 뭔가 분위기가 다르네. 낯설어. 점심은 제가 살게요. 그냥…. 지금 나가죠?"

우리는 회사 앞에 있는 허름한 칼국수 집으로 향했다. 유명한 맛집으로 점심에는 줄이 길어 먹을 수 없었지만, 11시가 조금 넘은 시간으로 가게는 한산했다. 의자에 앉은 김 팀장은 오랜만에 웃음을 보였다.

"석 달이죠? 정말 수고했어요. 최 사원하고는 어땠어요? 그 친구가 워낙 긍정적이고 밝아서 일부러 신 대리랑 붙였는데. 그쪽처럼 진중하고, 남들 생각 많이 하고, 배려하고…. 그런 사람이랑 있어야 최 사원이 성장할 것 같았거든요. 사회생활 좀 해보니 사람 능력은 거기서 거기더라고요. 인성이 중요한 것 같아. 물론 난 아니지만."

조금 전, 최 사원을 쏘아붙이고 든는 말이라 마음이 불편했다. 평소라면 깨끗하게 비웠을 그릇에는 국수가 절반 정도 남았다. 하지만 어쩌겠는가? 그녀에 대한 걱정은 지웠고 이미 지나간 일이었다. 테이블 위에 놓인 핸드폰을 봤지만, 도착한 걱정은 없었다. 티슈를 한 장 뽑아 입을 닦았다. 그러자 김 팀장은 다 먹었냐고 물으며, 마무리까지 잘 부탁한다며 점심값을 계산했다.

그녀는 내게 음료까지 사줬다. 나는 얼음이 가득 담긴 레모네이드를 들고 자리에 앉았다. 모니터를 켜니 읽지 않은 박 부장의 메시지가 화면 밑에 떠 있었는데, 잠시 보자는 내용이었다. 손으로 머리를 쓸어 넘기며 그가 부른 이유를 생각했다. 딱히 머릿속에 떠오르는 건 없었지만, 그에게 프로젝트 브리핑을 멋지게 보여줬기에 걱정은 없었다. 나는 키보드 옆에 있던 다이어리와 펜을 챙겨 일어났다. 그때, 뒤에 있던 최 사원이 보였는데, 평소와 다른 어두운 표정에 어깨는 축 처져 있었다. 어쩌겠는가? 본인 탓인걸. 핸드폰을 바지 주머니에 넣어 부장실로 향했다.

어깨에 잔뜩 힘을 주며 부장실로 가는 긴 복도를 걸어갔다. 오전에 브리핑을 듣던 재무팀 장 팀장은 복도에서 나를 마주치자, 엄지를 펴 보였다. 나도 웃으며 가볍게 고개를 숙였다. 부장실로 들어가는 반투명한 유리문 앞에서 핸드폰을 봤다. 당연히 도착한 문자는 없었다. 손으로 두어 번 문을 두드리고 안으로 들어갔다. 박 부장은 녹차 티백을 찻잔에 우려내고 있었고, 환하게 웃으며 나를 테이블 의자에 앉혔다.

"신 대리. 오전 발표 잘 들었어. 근데…. 사실 말이야. 김 팀장한테 먼저 자료를 받고 발표는 제대로 듣지도 않았어. 왜? 진짜 고민과 걱정을 많이 한 흔적이 보이더라고. 요즘 자네 같은 직원들이 많이 없단 말이지…. 참 기분이 좋더라고. 승진하려면 아직 멀었지만, 후임들 평가가 좋던데? 잘 챙기나 봐?"

박 부장은 고개를 끄덕이며 연신 내 칭찬을 해댔다. 조금 이상한 기분이 드는 건 이때였다. 나를 인정하는 그의 말이 가슴이 두근거릴 정도로 좋아야 했지만, 그렇지 않았다. 마치 당연한 이야기를 듣는 것처럼…. 부장은 자리에서 일어나 마무리도 잘 부탁한다며, 내 어깨를 손으로 토닥였다.

부장실을 나와 문을 닫았다. 먼지 하나 없이 깔끔하게 청소된 복도 위. 손에 쥐고 있던 핸드폰을 가만히 들여다봤다. 걱정을 지우며 살아가는 오늘. 나는 행복했다. 하지만 남들은 어제의 나를 인정하니 아이러니했다. 어쩌면, 걱정이 많던 삶도 마냥 나쁘진 않았던 것 같았다. 하지만 돌아갈 생각은 눈곱만큼도 없었다.

배불리 점심을 먹은 직후라 졸렸다. 긴장이 풀리니 그동안 쌓인 피로가 쏟아지는 것 같았다. 있는 힘껏 큰 소리를 내며 하품했고 곧장 탕비실로 걸어갔다.

문고리를 돌리니 앞에 최 사원이 있었다. 눈이 마주친 우린 서로 살며시 고개를 숙였다. 어색하고 무거운 공기가 비좁은 탕비실에 가득 채워졌으나 신경 쓰지 않았다. 나는 정수기 옆에 있는 노란 커피믹스 스틱을 하나 꺼내 종이컵에 쏟아부었다. 그때였다.

"대리님, 어제 일은 정말 죄송합니다…. 하지만, 오해하실까 봐…. 말씀드리면…. 어제, 엄마가 갑자기 쓰러지셨다는 연락을 받아서…. 너무 급해서 제대로 설명 못했어요. 정말 죄송합니다……."

나는 손에 종이컵을 들곤 그대로 얼어붙었다. 우연히 듣기로 최 사원은 그녀의 어머니와 단둘이 살고 있었다. 입 밖으로 한숨이 터져 나왔다. 손으로 내 얼굴을 쓸어내리며 어머니는 괜찮은지 물었다. 그러자 그녀는 어머니가 한동안 병원 신세를 져야 하지만, 불행 중 다행히 큰일은 아니라고 했다. 점점 얼굴이 뜨거워졌다. 종이컵을 작은 테이블 위에 내려놓았다. 그리고 놀람과 미안함이 뒤섞여 기운 없는 작은 목소리로 왜 이제야 말하냐고 물었다.

"오늘 최종 브리핑하셨잖아요…. 괜히, 걱정하시고 신경 쓰실까 봐……."

나는 그녀에게 전혀 그런 줄 몰랐다고 말하고 입술을 질끈 깨물었다. 그러자 최 사원은 앞으로 더 책임감 있는 모습을 보이겠다고 말하며, 두 주먹을 불끈 쥐며 문밖으로 나갔다. 그녀가 나가고, 탕비실 구석에 있는 커다란 냉장고에 몸을 기대어 허리를 굽히곤 두 손으로 머리를 벅벅 긁었다.

아무것도 모르고, 그녀에게 날이 선 말을 내뱉은 스스로가 한심했다. 쉴 새 없이 한숨이 나왔고, 뜨거워진 얼굴을 양손으로 비벼댔다. 후회와 미안함이 마음을 가득 채웠다. 주머니에서 핸드폰을 꺼내 문자가 도착하길 기다렸다. 그러나 문자 수신함에 아무것도 들어오지 않았다. 순간, 입 밖으로 작은 탄식이 흘러나왔다. 그랬다. 그녀에게 상처를 준 문자는 이미 지웠고, 지금 느끼는 감정은 걱정이 아니었다.

터벅거리며 자리로 돌아가 의자에 털썩 앉았다. 이마에 미열 느껴졌고 명치 주변이 쓰렸다. 그동안 야근하며 쌓인 피로와 혼란스러운 감정이 한꺼번에 쏟아지는 것 같았다. 나는 사내 메신저를 열었다. 그리고 몸이 안 좋아 일찍 퇴근해도 괜찮은지 팀장에게 물었다. 그녀는 몇 달간 고생했으니 그럴만하다며 빨리 집으로 가서 쉬라고 했다.

조용히 자리에서 일어나 가방을 챙기려는데, 브리핑 전 최 사원에게 건넨 회의 자료가 모니터 아래 흩어져 있었다. 혹시나 하는 마음으로 서류를 모아서 한 장씩 세어봤다.

"어? 뭐야…. 3페이지가 없었네?"

고개를 돌려 최 사원을 봤다. 그녀는 자리에 앉아 살며시 미소를 보였다. 그녀에게 당장이라도 사과해야 했지만, 무슨 말을 해야 할지 떠오르지 않았다. 그저 여기서 도망치고 싶었고 짐을 챙겨 쫓기듯 회사 문밖으로 나왔다.

찬 바람이 옷깃을 스쳤지만, 내리쬐는 햇볕으로 따스한 기운이 느껴졌다. 벌 떼처럼 사람이 몰리는 출퇴근 시간이 아니라 길이나 역은 한적했다. 열차도 마찬가지였다. 나는 긴 의자 가장 끄트머리에 앉았다.

주머니에서 핸드폰을 꺼내 손으로 매만졌다. 서른 살 그리고 행복 제작소. 그곳에서 받은 이 신비로운 능력으로 나는 삶에서 걱정을 지울 수 있었다. 분명히 행복했다. 그러나 이 삶을 내가 감당할 수 있을지 혼란스러웠다. 마음 어딘가가 뻥 뚫린 기분이었다. 그때, 핸드폰에 문자 하나가 도착했다.

[걱정 없이 사는 게 맞는지. 라는 걱정을 지우시겠습니까?]

미세한 두통이 느껴졌다. 문자를 지우지 않고, 주머니에 핸드폰을 넣었다. 그리곤 아무런 생각도 하고 싶지 않아 눈을 지그시 감았다. 하지만 핸드폰이 계속 울렸다. 수신함을 열어보니 걱정을 지우겠냐는 똑같은 문자가 10개 넘게 도착해 있었다. 핸드폰을 가방에 넣어, 비어 있는 옆자리에 두었다. 그리고 고개를 숙였다. 잠시 후, 내릴 역에 도착했고 힘겹게 몸을 일으켰다. 엄청난 능력이 생겼지만, 마음은 지쳐있었고 발걸음도 가볍지 않았다.

자동차가 쌩쌩 달리는 대로를 지나 집으로 가는 작은 골목으로 들어갔다. 저 멀리 산처럼 높은 언덕이 보였고, 들고 있던 가방에서 짧은 진동이 느껴졌다. 아마도 언덕 오를 걱정을 지우겠냐는 문자일 것이다. 실소가 나왔고 고개를 저으며 그저 걸었다.

몇 분이 흘러 언덕 앞에 도착했다. 매번 오르는 길이지만 오늘따라 더 높아 보였다. 고개를 숙인 채, 숨을 헐떡이며 언덕을 오르기 시작했다. 아무런 문자를 지우지 않았지만, 걱정을 없애더라도 결국에 언덕은 올라야 했다.

텅 빈 현관문 앞 복도에서 헉헉거리는 내 숨소리만 들렸다. 핸드폰은 꺼버리고 얼른 침대에 몸을 던지고 싶었다. 힘겹게 손으로 도어락 비밀번호를 누르자, 다른 손에 쥐어진 가방에서 핸드폰 전화 진동이 느껴졌다. 나는 현관문을 열며 가방에서 핸드폰을 꺼냈다. 김 팀장이었다. 전화를 받으니 떨리는 그녀의 목소리에서 분노가 느껴졌다.

"신 대리. 프로젝트 기획안 보낸 거 맞아? 본부에서 첨부된 문서가 없다는데?"

온갖 짜증이 섞인 욕이 입 밖으로 터져 나왔다. 재빨리 집 안으로 들어가 가방을 열어 노트북을 켰다. 그때였다. 집 안에서 알 수 없는 위화감과 어색함이 느껴졌다. 보리. 녀석이 마중 나오지도 않고 짖지도 않았다. 재빨리 고개를 돌려 보리를 찾았다. 녀석은 냉장고 옆에 기운 하나 없이 엎드려 있었다. 깨끗하게 비워진 물그릇 옆에 말이다.

창밖으로 들리는 빗소리에 신발장을 열어 우산을 챙겼다. 하지만 다급한 마음에 우산은 펴지도 않고 손에 든 채 뛰었다. 굵은 빗방울이 눈꺼풀을 때렸고 자정에 가까운 시간이라 앞이 제대로 안 보였다. 그래도 길 건너편. 하얗게 빛을 내는 편의점 간판은 또렷이 보였다. 쏟아져 내리는 빗방울 사이로 신호등 파란불이 깜빡거렸고 숨이 턱 끝까지 차올랐지만, 다시 뛰었다.

투명한 유리문 너머로 헐렁한 하늘색 조끼를 걸친 할아버지가 보였다. 그는 발밑에 있는 상자에서 봉지 과자를 꺼내 진열대 빈 곳을 채우고 있었다. 나는 어깨로 힘껏 편의점 문을 밀며 안으로 들어갔다. 경주마처럼 전속력으로 달려온 탓에 허리가 절로 숙어졌고 헉헉거리는 숨넘어가는 소리가 편의점에 울려 퍼졌다. 할아버지는 고개를 돌려 나를 보더니 다시 진열대를 바라보며 흐트러진 과자를 정리했다.

"어허. 비가 이렇게 많이 오는데 우산도 없이 뛰어온 게인가? 뭐, 이상한 일은 아니지. 대부분 다음날엔 이렇게 헐레벌떡 뛰어오니 말이야. 그래도 걱정이 많은 사람들은 만족하기도 하던데…. 자네는 어땠나?"

숨이 돌아오지 않아 그의 물음에 대답하기 어려워, 허리를 굽힌 채 오른손만 간신히 들어 흔들어댔다. 그때, 할아버지 특유의 너털웃음이 들렸고 그는 내 등을 토닥였다. 그리고 양손을 털며 돌아가서 이야기하자며 편의점 출입문을 손으로 밀었다. 나는 간신히 몸을 일으켜 출구로 다가갔다. 그리고 천천히 문밖으로 걸어갔다.

콧날에 빗방울이 스쳤다. 행복 제작소가 있는 여기. 작은 정원에도 비가 내렸다. 고개를 들어 보니 두터운 잿빛 구름이 하늘을 뒤덮어 저녁같이 어두웠다. 고개를 숙여 바닥을 보니 화려히 만개하던 꽃들은 모두 시들어 있었다. 매서운 비바람에 머리카락이 휘날렸고 어깨는 움츠러들었다. 할아버지는 들고 있던 우산을 폈고 우린 오두막. 행복 제작소로 걸어갔다.

덜컥이는 소리와 함께 문이 열렸다. 오두막 한가운데 자리 잡은 테이블 위에는 이미 커다란 퍼즐 판이 올려져 있었다. 나는 재빨리 테이블 앞으로 걸어갔다. 인생에서 지워버린 걱정의 조각. 퍼즐 판 가운데는 여전히 뻥 뚫려 있었다. 한숨을 내쉬며 할아버지를 쳐다봤다. 그는 김이 모락모락 올라오는 찻잔을 양손으로 쥐곤, 걱정을 지워가며 살아보니 어땠는지 물었다.

"편했어요. 지금까지 쓸데없는 걱정이 많았다고 생각했으니깐요. 걱정을 지워보니 솔직해질 수 있었고, 하고 싶은 말도 하고, 자신감도 넘쳤어요. 강해졌다고 해야 하나…. 근데 어색해요. 마음속 어딘가 뻥 뚫린 느낌이에요. 이게…. 행복한 삶인지 모르겠어요."

맞은편에 앉은 할아버지는 찻잔을 테이블에 내려두었다. 그리고 입고 있던 조끼 주머니에서 퍼즐 조각 몇 개를 꺼내며 말했다.

"사람은 언제나 행복을 찾아가지. 말하지 못할 고민으로 밤새 잠도 못 자거나, 마음이 힘들어 숨쉬기조차 어려울 때도, 스트레스로 가슴이 답답할 때도, 누군가에게 상처받아 하염없이 눈물을 흘려도…. 모든 건 행복해지고자 그런 거지. 자네 인생에서 걱정이 사라지더라도, 무언가가 그 자리를 채우지. 행복하기 위해서 말이야."

할아버지는 손에 들고 있던 퍼즐 조각들을 내게 보여줬다. 다섯 개의 퍼즐 조각에는 원망, 분노, 안일함, 무관심, 무책임이란 글씨가 각인되어 있었다. 그는 조각들을 퍼즐 판 가운데에 끼워넣기 시작했고, 걱정의 조각을 떼어낸 커다란 구멍에 정확하게 맞춰졌다. 가슴 어딘가에서 '쿵'하는 소리가 들렸다. 아무런 말 없이 퍼즐 판을 멍하니 바라봤다. 그는 또 한 번, 주머니에 손을 넣어 커다란 퍼즐 조각 하나를 꺼냈다. 걱정의 조각이었다.

"사실은 말이야. 이 커다란 판은 자네만의 행복을 나타낸다네. 이 커다란 조각에 걱정이란 이름을 붙였지만, 신승철이란 사람은 항상 누군가를 이해하고 용서하며, 상처 주지 않기 위해 애쓰고, 위험한 일이 생기지 않도록 대비하고, 작은 실수도 하지 않기 위해 철저했지. 언제 어디서나 자신의 마음을 깎아 내어주면서까지 말이네. 그래도 결국에는 행복했다네. 자네는 모르고 살아갔지만 말이야."

할아버지는 걱정의 조각을 테이블에 놓았다. 그리고 걱정이 많던 이전 삶으로 돌아갈지, 걱정을 지울 수 있는 현재의 삶을 살아갈지 선택하라고 말했다. 나는 퍼즐 판 가운데 있던 원망, 분노, 안일함, 무관심, 무책임 다섯 개의 조각을 하나씩 떼어냈다. 그리고 그의 앞에 놓인 걱정의 조각을 퍼즐 판에 맞춰 넣었다.

"여기 모든 퍼즐 조각은 지금까지 제가 선택하며 맞춰온 거예요. 걱정도 즐거움도, 슬픔도, 불안함도…. 이 모든 게 있어서 행복할 수 있었어요. 걱정 없이 산다면, 그런대로 좋겠죠. 하지만 누군가에게 상처 주거나 소중한 것들을 잃고 싶지 않아요. 가끔 힘들고 괴롭더라도. 제 삶을 살아가고 싶어요. 그게 제 행복이라면…….”

순간, 강렬한 섬광과 함께 귀에서 ‘삐-’하는 소리가 들렸다. 나는 눈을 질끈 감고 손가락으로 귓구멍을 막았다. 그리고 잠시 후, 밝은 빛이 사라지며 앞이 보였다. 퍼즐 판 가운데 끼워진 걱정의 조각은 이해, 공감, 인내, 성실. 그리고 믿음이란 다섯 개의 조각으로 나뉘어 있었다. 맞은편에 앉아 있던 할아버지는 의자에서 먼저 일어났다.

“앞으로 살아가며 수많은 걱정이 자네를 찾아가겠지. 하지만 기억하게. 걱정이란 조각은 이렇게 쪼갤 수 있다는 것을 말이야. 아! 물론, 기억하지 못하겠지만…….”

기억하지 못한다는 할아버지 말에 나는 자리에서 벌떡 일어났다. 그리고 그게 무슨 소린지 물었다.

“허허, 세상에 공짜가 어딨나? 원래 삶으로 돌아가기 위해서는 대가가 필요하지. 다른 게 아니야. 지금까지 행복 제작소에서 있던 일 모두. 자네 기억 속에서 사라질 것이네. 하지만 너무 걱정하지 말게. 일부는 마음 어딘가에 남아있을 테니깐.”

여기에서 있던 일이 모두 기억에서 지워진다니. 걱정이 밀려왔다. 걱정…. 나는 피식 웃었다. 의자에서 일어나 출입문으로 향했다. 문이 열렸고 하늘은 맑았다. 그리고 불어오는 바람은 따스했다.


서른 살 그리고 행복 제작소. 무슨 이유인지 모르겠지만, 할아버지 말과 다르게 희미했던 그날의 기억은 점점 또렷해졌다. 이유는 알 수 없다. 그의 실수가 아니라면, 그 일이 이렇게 글이 되길 기다렸는지도 모르겠다. 모두가 '행복 제작소'에서 있던 일을 잊지 말도록 말이다.

당신의 삶에서 가장 커다란 조각은 무엇인가? 그 조각을 짊어지고 사는 게 얼마나 힘든지 잘 알고 있다. 하지만 녀석도 지울 수 없는 당신의 소중한 삶의 일부이다. 아무것도 할 수 없는 그런 날이 온다면 마음속 커다란 조각을 쪼개 예쁜 이름을 붙여보자. 행복하냐는 누군가의 물음에 고개를 끄덕일 수 있을지도 모른다. 괜찮다. 결국에 당신은 행복할 것이다.

# 이제 장밋빛 인생일 줄 알았지

남우형

**남우형**  극 내향인이자 집순이. 안정적인 생활만큼 중요한 것도 없다고 생각한
다. 잘 다니던 회사를 그만두고 여행 가이드가 되기 위해 영국으로 떠
났다. 지구상의 수많은 도시 중 런던을 가장 사랑하고, 여전히 여행업
계에 발을 반쯤 담그고 있다. 한국에서 사랑하는 것들을 늘려가는 재미
에 푹 빠져 산다.

blog : lucy_nam@naver.com

"가이드님, 수고하셨습니다! 오늘 너무 감사했어요."

템즈강 야간 투어가 끝나고 숙소로 돌아가는 손님들의 뒤통수가 완전히 사라질 때쯤, 주먹을 꽉 쥐었다. 드디어 퇴근이다! 시계를 보니 벌써 10시가 넘었다. 손님들과 전철에서 다시 만나는 상황을 겪고 싶지 않았던 나는 벤치에 앉아 조금 더 기다리기로 했다. 덥지도 춥지도 않은 6월의 런던은 여행하기에 완벽한 계절이었다. 어둠이 내린 강변에는 미세하게 바람이 불었고, 환하게 조명을 밝힌 타워 브리지 주변으로 야경 사진을 남기려는 관광객들과 조깅하는 런더너들이 끊임없이 오갔다. 3년이나 본 풍경이지만 질리지 않았다. 눈꺼풀이 내려앉지 않았다면 오래도록 그곳에 앉아 있겠지만 내일은 내일의 노동이 기다리고 있었다. 전철이 두세 번 정도 지나갈 시간이 흘렀을 때쯤, 나는 퀸즈 워크를 벗어나 터덜터덜 전철역으로 향했다. 손님들과 헤어져 혼자가 되면 어김없이 피로가 쏟아졌다. 예전에는 이렇지 않았던 것 같은데, 역시 나이는 숫자 이상의 숫자라고 생각하며 피식 웃었다. 사는 동네까지 한 번에 가서 다행이라 생각하며 전철에 앉아 꾸벅 꾸벅 졸았다.

당장 바닥에 눕고 싶다고 생각했던 몇 시간 전과 달리 집에 돌아와 침대에 몸을 누이자 언제 그랬냐는 듯 정신이 또렷했다. 머리만 대면 잠드는 나에게 밤잠을 설치는 건 있을 수 없는 일이자 매우 큰 일이었다. 그날은 정말 역대급으로 바빴고, 말 그대로 아침부터 밤늦게까지 일했다. 기절하듯이 꿈나라로 직행해야 마땅한데, 잠이 오지 않는 다니. 몸을 뒤척일 때마다 한쪽 벽에 붙은 철제 프레임의 싱글 침대가 요란하게 삐걱댔다. 이러다 옆방까지 들릴까 싶어 얌전히 웅크린 채 다시 잠을 청해봤지만 소용없었다. 얇은 커튼 틈새로 건물 비상계단의 노란 불빛이 어스름했던 그날, 나는 직감했다. 이제는 정말로, 돌아갈 시간이라는 것을.

처음 런던에 가게 된 계기는 단순했다. 인생이 너무 평탄하고 지루하던 차에 우연히 꼭 하고 싶은 일을 발견했을 뿐이다. 그렇다고 내가 굴곡 하나 없이 산 건 아니다. 부모가 IMF를 정통으로 맞는 걸 지켜본 세대이기도 하고, 고등학교 때 자퇴할까 말까, 고민하기도 했다. 삶 전체 그래프를 놓고 봤을 때야 높고 낮음이 극명하지만, 어린 나에게는 잔잔한 날들의 연속으로 느껴졌다. 어제와 오늘은 늘 비슷하고, 특별한 사건도 없는데 뭐라고 하루를 정리해야 할지 몰라 일기를 쓸 때마다 머리를 싸매곤 했다. 하고 싶은 것도, 되고 싶은 것도 없었던 십대의 나는 내 앞으로 난 단 하나의 길을 따라 걸어갔다. 모두가 그렇게 하기에 떠밀리듯 걸었고, 대학 졸업장과 함께 뭔가 되긴 되었는데 그게 무엇인지는 도통 알 수 없었다. 아르바이트하던 중 운 좋게 어느 기업의 인턴직에 합격했고, 그것이 또 운 좋게 정규직 전환형이라 회사원 타이틀을 얻었지만 이게 인생의 전부인지는 의문이었다.

어느 여행사의 가이드 채용 공고를 보게 된 건 내가 꼬박꼬박 나오는 월급에 맛을 들인 지 2년이 넘었을 무렵이었다. 오후 2시, 동료들이 식곤증과 싸우고 있을 때 나는 눈을 반짝이며 모니터 속으로 빨려 들어갈 기세로 공고문을 읽었다. 여행 가이드는 나를 위한 맞춤 직업처럼 보였다. 미술과 화가, 역사 이야기를 좋아한다. 예. 반복적인 일이라 해도 쉽게 싫증 내지 않는다. 예. 체력이 좋다. 나 정도면 뭐, 예. 다른 사람들에게 도움을 주는 것을 좋아한다. 예. 영어를 잘한다. 조금 부끄럽지만 어쨌든, 예. 운전면허 소지자 우대. 장롱면허지만 가서 배우면 되지, 예. 이 일이라면 내가 평생, 재미있게 일할 수 있지 않을까? 또 좋아하는 만큼 잘 해낼 수 있지 않을까? 그렇게 생각하자 가슴이 콩콩 뛰었다. 김칫국 마신 김에 채용 공고에 나온 유럽 여러 나라 중 어디로 갈지 골랐다. 10년 넘게 배운 영어와, 너덜너덜해질 정도로 읽은 학습 만화로 갈고닦은 지식이 있으니, 가이드가 된다면 영국이 가장 수월할 것 같았다. 워킹 홀리데이 비자 소지자만 지원할 수 있다고 하기에 그날부터 비자 준비에 돌입했고, 영국 워킹 홀리데이 비자를 얻게 되었다. 초반에 운을 다 끌어 쓴 모양인지 그 여행사에서 원하는 결과를 얻지는 못했다. 일생 한 나라에 딱 한 번만 나오는 특별한 비자를 날려 버리기가 아까웠던 나는 퇴사 후 3개월 만에 모든 준비를 마치고 여행사들이 밀집한 런던으로 향했다. 그게 2014년 여름, 나는 스물아홉이었다.

가이드가 된 건 그로부터 시간이 제법 흐른, 유럽식으로 따져도 곧 서른이라는 사실에 우울했던 2016년 초였다. 비록 내가 가고 싶었던 여행사는 아니었지만 그런 건 아무래도 좋았다. 워킹 홀리데이 비자 만료를 4개월 앞두고 기적적으로 원하던 일을 할 수 있게 되었다는 기쁨에 취해 다른 건 모두 머리에서 밀려난 듯했다.

워킹 홀리데이 기간 내내 아시아인 비율이 높은 동네에서만 살았지만, 본격적으로 가이드 일을 배우면서 처음으로 다른 지역에서 살게 되었다. 서쪽 2 존 셰퍼드 부시라는 동네에 여행사 사장이 임대한 가이드 숙소가 있었기 때문이다. 이곳에서 나처럼 풀타임으로 일하는 가이드 동기, 그리고 다른 세입자들과 함께 지냈다. 중동 이민자들이 많이 살던 그 동네에는 어디를 가도 묘하게 향신료 냄새가 풍겼는데, 나중에는 적응이 된 건지 코가 마비된 건지 냄새를 거의 느끼지 못했다. 그곳 사람들도 동양인 이웃사촌은 익숙지 않았던지 내가 가게에 들어서면 빤히 쳐다보곤 했는데, 나중에는 소소히 안부를 물을 정도로 친해졌다. 숙소 앞 골목에서 퇴근을 반겨주던 토실토실한 얼룩 고양이와 히잡을 쓴 여인들의 아름다운 눈, 천 가지도 넘을 만큼 서로 조금씩 다른 어두운 피부색, 그리고 그들이 환하게 웃을 때마다 드러나던 하얀 치아가 기억난다. 배울 게 너무 많았던 신입 시절에는 눈에 잘 들어오지 않았지만.

선배 가이드들의 투어를 따라다니는 게 '교육'이라는 걸 안 날부터 이제부터 내 앞가림은 내가 잘해야 한다는 걸 알았다. 낮 밤 없이 투어를 따라다니거나 쉴 시간을 쪼개어 부족한 부분을 공부하고 있자면 맨땅에 헤딩은 바로 이런 것을 뜻할 거라는 생각이 절로 들었다. 초반에는 길을 잃지 않는 것과 외운 걸 잊어버리지 않는 것이 하루의 가장 큰 목표였다. 시간이 흘러 지식과 경험이 축적되니 그제야 좁고 뿌옇던 시야가 트이면서 풍경과 사람들이 보이기 시작했다.

내가 가장 좋아했던 프로그램은 손님들과 함께하는 시간이 가장 긴 시내 투어였다. 오전 9시부터 진행하는 영국 박물관 투어가 얼추 마무리될 즈음부터 준비 태세에 들어갔는데, '시간 맞춰 버킹엄 궁전에 도착하기'라는 임무를 수행하기 위해서다. 근위병 교대식은 전체 시간으로 따지면 꽤 오랫동안 하는 편이지만, 교대를 위해 근위병들이 행진하는 걸 볼 수 있는 시간은 찰나였기 때문이다. 박물관 투어를 조금이라도 늦게 마치는 날이면 한여름에도 긴장으로 손이 차가워져서 파리 마냥 손을 연신 비벼야 했다. 박물관 바로 근처에는 아담한 러셀 스퀘어라는 공원이 있었는데, 여기서 커피 한 잔의 여유를 부릴 틈도 없이 손님들을 이끌고 전철역으로 향했다. 버킹엄 궁전과 가장 가까운 그린파크 역까지는 다섯 정거장. 긴장과 침묵을 이겨보려 시시콜콜한 관광 정보를 떠들고 있으면 다섯 정거장은 금방 지나갔다. 전철역 출구 넘어 멀리서 교대식을 위한 음악을 들은 손님들은 내가 말하지 않아도 달리기 시작했다. 환호인지 비명인지 알 수 없는 소리를 지르며 공원을 가로질러 버킹엄 궁전 방향으로 달리는 사람들의 모습에 웃음이 터졌다. 먼저 달려간 도착점에서 손님들의 머릿수를 헤아리고 있으면 얼굴이 빨갛게 되도록 달려온 손님들의 얼굴이, 힘들어

죽겠다며 깔깔대는 소리가 점점 가까워졌다. 그런 추억들 덕분에 시내 곳곳에서 마주치는 공원들이 더 애틋했다.

런던 시내의 주요 관광지를 나는 몇 번이나 가 보았을까. 아마 300번은 넘게 가 보았을 것이다. 템스강 강가를 지키는 짝꿍인 빅벤과 국회 의사당은 언제 보아도 아름다웠다. 화창한 날에는 진흙 색 템스강에도 윤슬이 드리웠고, 궂은 날에는 누르스름한 건물이 허옇고 어두운 구름과 잘 어울렸다. 너무 천천히 돌아서 운영하는 게 맞는지 유심히 보곤 했던 런던 아이는 밤에 보는 재미가 더 쏠쏠했다. 특별한 날이면 조명이 달라졌기 때문이다. 밸런타인데이에는 분홍으로, 왕실의 아기가 태어났을 때는 영국의 국기 색깔인 빨강, 파랑, 흰색으로, 퀴어 축제인 프라이드 인 런던 기간에는 무지개색으로 점등했다. 야간 투어가 있는 날이면 오늘 혹시 다른 색일까 두근두근하며 출근하곤 했다. 후원사인 코카콜라의 대표 색상인 붉은 조명인 날이 더 많았지만, 그게 오늘도 변함없이 잘 있다는 안부 인사 같아서 그 나름대로 좋았다.

가장 어려워했던 건 내셔널갤러리 투어였는데, 미술 전공자가 와서 예상치 못한 질문을 던지는 몹쓸 상상을 하느라 긴장의 끈을 놓을 수 없었기 때문이다. 투어가 끝난 후 미술관 테라스에서 숨을 골랐던 루틴은 역시 가이드가 되길 잘했다고, 오늘도 무사히 잘 해냈다고 자신을 칭찬하기 위해서다. 실내라 땀 흘릴 일도 없으면서 고작 3시간 돌아다녔다고 투어가 끝나면 열이 올랐다. 신기하게도, 런던은 아무리 더운 날이라도 그늘에 들어가면 서늘한 바람이 불었기 때문에 테라스에 드리운 그늘에서 트래펄가 광장, 나와 같은 방향을 바라보는 높다란 넬슨 제독 동상, 엎드린 청동 사자상들과 거대한 분수들, 그리고 기쁨으로 상기된 얼굴로 오가는 사람들을 구경했다. 그렇게 열을 식히고 나면 미술관 앞 잔디밭에 앉아 샌드위치를 먹으며 하늘 구경을 하거나, 버스킹 가수들의 공연을 보다가 집에 돌아가곤 했다. 이 풍경을 앞으로도 계속 볼 수 있으면 좋겠다고 생각하면서. 하지만 서울에서 그랬듯이, 런던에서도 유쾌하지 못한 일들이 나를 기다리고 있었다. 생각해 보면 그날 내 마음속 어딘가 작게 금이 갔던 것 같다.

워킹 홀리데이 비자가 만료되어 더 이상 영국에 체류할 수 없었던 나는 다른 나라로 떠났다가 재입국했는데, 여행업계에서는 이걸 점프라고 불렀다. 이 편법은 성공하면 새로운 6개월짜리 관광 비자를 받을 수 있지만, 실패하면 불법체류자로 찍혀 블랙리스트 행인 양날의 검이었다. 나는 스페인 바르셀로나에서 2주 정도 머무르며 낮에는 내일이 없는 사람처럼 놀고 밤이면 영국 공항에서 입국 금지당하는 상상에 잠을 설쳤다. 다시 돌아온 영국 공항에서 마주한 출입국사무소 직원들의 얼굴은 무시무시했고, 제 발 저린 도둑의 등 뒤로는 식은땀이 흘렀다. 심사받는 줄이 빨리 줄어드는 게 아쉬울 정도로 나는 머릿속으로 모범답안을 짜내느라 바빴다. 하필이면 가장 깐깐할 것 같은 직원이 '다음'을 외쳤고, 내 여권을 이리저리 확인하던 그는 눈살을 찌푸렸다.

"2년이나 있었는데 다시 오는 거예요? 게다가, 3개월이나 더 있겠다고요?"

"그동안 너무 바빠서 여행을 많이 못 다녔거든요."

"3개월 동안 뭘 하려고요?"

"친구들도 만나고, 예전에 어학연수 했던 지역도 가고, 좀 여유 있게 지내려고요."

워낙 불법체류자가 많다 보니 출입국사무소 직원들은 놀라우리만치 뾰족했다. 포커페이스가 능하지 못한 나는 점점 얼굴이 달아오르는 게 느껴졌다. 차가워진 손을 들킬까 봐 애꿎은 가방끈만 쥐었다 폈다 하며 당신이 왜 그러는지 백번 이해한다는 표정으로 미소를 지었다. 지금 여기서 끌려 나간다고 해도 할말은 없지만, 이대로 친구들에게 인사도 못 하고 한국에 돌아가는 것도, 가이드 일을 더 이상 못한다는 것도 싫었다. 연락도 없이 갑자기 한국으로 돌아온 딸을 보고 놀랄 부모님께는 또 뭐라고 말하면 좋단 말인가. 주마등은 죽을 때나 볼 줄 알았는데, 런던에서의 시간이 잠시 눈앞을 스치는 착각이 들었다. 이럴 줄 알았으면 고삐 풀린 망아지처럼 놀기나 실컷 놀 걸 잠시 후회도 했다.

양옆의 심사대에서 벌써 다섯 명도 넘게 입국허가를 받아 통과하는 걸 보니 속이 탔다. 한국에 돌아가는 항공권이 있어야 의심을 덜 받는다는 여행사 사장의 조언에 따라 미리 취소할 수 있는 표를 사뒀던 나는 침착하게 가방에서 프린트한 표를 꺼내 보여주었다. 여행이 끝나는 대로 출국할 예정이라고 대답하자 그의 표정이 아까보다는 조금 풀리는 듯했다. '이번 한 번만 들여보내 주면 두 번 다시는 점프하지 않겠습니다' 하며 되뇌고 있던 그때, 쾅! 정신을 차려보니 직원이 내

여권을 다시 앞으로 쓱 밀어주는 게 아닌가. 여권을 펼쳐보니 새로운 6개월짜리 단기 비자 도장이 찍혀 있었다. 굳었던 얼굴은 온데간데없이 살짝 미소까지 지으며 즐거운 여행이었기를 바란다고 인사를 건네는 직원과 달리 나는 왠지 울고 싶었다. 얼른 여권을 챙긴 후 속으로 정말 미안하다고 외치며 빠르게 심사장을 빠져나왔다. 무사히 입국한 게 안심이 되면서도 이렇게까지 해야 한다는 게 서러워서, 이래도 괜찮은 건지 혼란스러워서 그냥 빨리 런던의 집으로 돌아가고 싶었다.

가이드가 되기 전에 다른 일을 했을 때는 통장으로 급여를 받고, 코드 분류에 따라 세금이 원천 징수되었다. 합법적으로 일할 수 있는 비자의 소지자로서 떳떳하게 지냈다. 하지만 여행 가이드를 하는 동안에는 월급을 현금으로 받았다. 공식적으로 나는 영국에서 일하지 않는 사람이었고, 경제활동을 하지 않으니, 세금을 내지 않았다. 두 번의 관광비자로 머물렀던 1년은 말할 것도 없다. 그냥 내 존재 자체가 불법이었으니까. 가이드로 일하는 동안 힘들었던 점은 셀 수 없이 많았지만, 이렇게 사는 게 맞는 것이냐는 질문만큼 나를 괴롭힌 것은 없었다.


한번 균열이 생긴 마음으로 천천히, 시도 때도 없이 질문이 새어 들었다. 평소처럼 야간 투어를 마치고 돌아왔던 그날도 '왜 가이드가 되고 싶은가?'라는 본질적인 질문이 내가 꿈나라로 가는 길목을 막고 있었다. 가이드라는 직업이 나와 아주 궁합이 잘 맞지는 않다는 건 전부터 어렴풋이 느끼고 있었다. 투어 하는 게 싫었던 건 아니다. 오히려 투어 할 때 나의 모든 걱정과 힘듦이 지나갈 악몽처럼 느껴져서 위안이 되었다. 한껏 들뜬 사람들이 뿜어내는 에너지 속에 파묻혀 있을 때면 이대로 시간이 멈추었으면 좋겠다고 생각했다. 하지만 투어와 연결된 사소한 문제들은 끊임없이 나를 콕콕 찔러 댔다. 나는 돌발 상황을 좋아하지 않는다. 솔직히 말하자면, 딱 질색이다. 계획대로 진행이 안 되면 조바심이 나고 긴장돼서 배가 아픈 사람이 나다. 심장이 조마조마하고 몸 곳곳이 저리는 감각은 이루 말할 수 없이 불쾌하다. 이런저런 행사로 교통이 통제되어 시내에서 이동하기가 어렵거나, 전날까지 잘 전시되어 있던 내셔널갤러리의 작품이 다음날 갑자기 사라지거나, 지각한 손님들과 연락이 안 되어 하염없이 기다리거나 하는 상황은 여행업계에서 너무 흔한 일이었다. 하지만 헷갈렸고 딱 그만큼 미련이 남았다. 그런 상황에서는 누구나 스트레스받는데 내가 유난 떠는 걸 수도 있다고, 내가 어리광을 부리는 걸 수도 있다고 다독였다.

생각에 골몰할수록 잠은 더 멀리 달아났다. 캄캄한 천장이 마치 내 앞날인 듯해서 침대에 누워 있는데도 어지러웠다. 가이드로 일하는 동안 나는 한국에서도 영국에서도 그 어떤 사회보험과 세금에도 엮여 있지 않은 유령이었다. 하지만 내가 선택해서 온 길이었기에 우는 소리를 할 수는 없었다. 불법 노동을 하며 사는 주제에 여기에 어떻게든 눌러앉고 싶다고 말하는 건 내 성미가 용납하지 않았다. 비자가 끝나면 돌아가면 그만인 것을 이게 뭐라고 그렇게 목을 매는지는 나도 잘 모르겠다. 다만 내 욕심 때문에 비롯된 우울한 이야기를 다른 사람에게 쏟아 내기가 염치없다고 생각할 뿐이었다. 내가 굳이 보태지 않더라도 모두에게는 저마다의 걱정거리가 있으니까. 정해진 기간의 생활만을 생각하면 되는 나와 달리 영국에 '사는' 친구들은 이곳에서의 삶을 이어가기 위해 부단히 싸워야 했다. 친구들이 감당해야 할 무게 앞에 나의 감정과 이야기들은 너무 가볍게 느껴져서 그냥 조용히 입을 다물곤 했다. 그리고 삼킨 이야기만큼 몇 배는 더 외로워졌다. 나와 비슷한 상황이었던 이들을 비자가 만료되어 모두 한국으로 돌아갔고, 9시간만큼 멀어졌다. 얻는 게 있으면 잃는 것도 있어야 공평하다고 생각했다. 그러니 내가 기회와 꿈과 자유를 얻은 대신 불안함과 외로움도 감당하는 게 맞는 것이었다. 그게 분명히 맞는 걸 텐데. 가슴팍이 뜨끈하게 뭔가 차오르는 게 느껴졌다. 흔히 외로우면 옆에 누가 있었으면 좋겠다고 바라지만, 나는 그렇지도 않았다. 가족이나 친구가 그리웠던 게 아니라 어디에도 의지할 수 없다는 게, 마음 둘 곳이 없다는 게, 누구에게도 온전히 이해받을 수 없다는 게 슬펐다. 어차피 모든 사람은 혼자라고 하지만, 나는 이 원초적인 고독함에 그만 질려버렸다.

그럼에도 한국에 돌아갈 엄두는 나지 않았다. 한국에서는 특정 연령대에 요구되는 수많은 과제가 해마다 내 목을 조였다. 한국에서의 서른 살은 직장에서 대리나 과장은 달았을 나이, 몸값을 올려 이직을 한 번쯤 했을 나이, 결혼을 했거나 계획할 나이, 일찍 결혼했다면 아이가 있을 나이였다. 어느 것에도 해당 사항이 없었던 나는 검은 양과

미운 오리 새끼의 심정을 이해했다. 가족과 친구 중 누구도 나를 미워하지 않았지만, 모두가 나를 걱정했고 그게 더 나를 힘들게 했다. 전문 직군도 아니고, 지금까지의 경력에 일관성도 없고, 누굴 만나거나 결혼할 마음도 없었으니, 그들의 마음을 이해 못 하는 건 아니다. 하지만 그럴수록 내가 무려 2년 반이라는 시간을 허비했고, 잘못된 방향으로 가고 있다는 생각이 들어 견딜 수가 없었다.

'그렇구나. 나 한국이 싫어서, 무서워서 도망친 거였구나. 그래서 그랬….'

갑자기 창문 너머로 울리는 요란한 자동차 경적에 퍼뜩 눈을 떴다. 깜박 잠이 든 모양이었다. 내내 까맣던 천장은 어느새 하얗게 바뀌어 있었다. 시계를 보니 오전 7시. 출근 준비할 시간은 충분했다. 제대로 눈도 못 뜬 채 침대에 앉아서 내가 처한 현재 상황을 다시 한번 곱씹었다. 비자 문제, 불법 노동, 여행업계의 특수성은 모두 안정적인 것과는 거리가 멀었다. 그리고 나는 유난히도 변동과 불안에 취약한 사람이었다. 런던에서의 불안은 내가 통제할 수 없는 것들 때문에 생긴 것이었고, 그렇기에 앞으로도 계속 힘 드리라는 걸 알았다. 나는 한국이든 영국이든 이제는 정착하고 싶었고, 정상적으로 떳떳하게 살고 싶었다. 세금도 내고, 법적 보호도 받으면서 말이다. 직업으로 자아실현을 한다는 건 너무 멀리 있어 잡힐 것 같지 않았고, 지금 느끼는 불안함은 너무 커서 당장이라도 나를 집어삼킬 것 같았다. 나는 해외에서 가이드 일을 하기에 적합한 사람이 아니었다. 그걸 인정하고 받아들이는 데 3년이나 걸렸다.

나는 아주 오래전부터 한국을 떠나고 싶었다. 나에게 얽힌 모든 것들과 남들의 시선이 무거워서 아무도 나를 모르는 곳에서 초기화된 인생을 시작하고 싶었다. 혼자가 되고 싶었던 나는 과거와 8천여 킬로미터나 멀어진 런던이 좋았다. 런던에 대한 기대가 하나도 없었다고 하면 거짓말일 것이다. 분명히 한국보다 더 나은 삶을 살 수 있으리라 생각했고, 이곳에서는 늘 행복하고 즐거운 일들만 생길 줄 알았다. 하지만 사람 사는 곳은 똑같았다. 런던에서의 삶 역시 아름답고 감사해서 가슴이 벅찬 날과, 사는 게 이렇게 구질구질할 리 없다고 베개에 머리를 처박는 날의 연속이었다. 그렇게 생각하니 한국에서도 내가 잘 지낼 수 있을 거라는 묘한 확신이 들었다.

마음 한구석으로 한국을 꽤 미워하며 살았다. 지금도, 앞으로도 어느 정도는 계속 미워할지도 모르겠다. 사소하게는 밀치고 지나가며 아무 말도 않는 사람들, 너무나 많은 편견과 차별. 개선되지 않아 안타까운 체계들과 심심하면 터지는 각종 부정부패. 하지만 마음에 안 드는 점들을 굳이 찾아내어 투덜거리기만 하면 내 손해다. 싫은 것들은 바꾸려고 노력하면 되고, 나와 생각이 같은 사람들과 함께 힘을 내면 된다. 그렇게 내가 좋아하는 공간에 가까워지도록 하면 되고, 나는 나대로 착실히 살아가면 된다. 나의 세상을 만들고, 나의 행복을 찾는 건 나만이 할 수 있었다. 나를 구원하는 건 런던도 가이드라는 직업도 아닌, 바로 나였다.

그날 아침, 나는 앞으로 한국을 지지리도 미워하고 또 지독하게 사랑하게 될 것임을 알았다. 야심 찬 포부를 안고 돌아오지 않으리라 마음먹었던 스물아홉의 나보다 그날의 나는 얼마나 더 자랐을까. 앞으로의 삶이 이어질 곳, 애틋한 사람들, 나라는 존재와 앞으로의 방향과 가슴에 품을 가치가 어렴풋하게 그려졌다. 장밋빛이 아닌 인생도 이렇게 재미있는데, 그걸 알기까지 참 오래도 걸렸다. 앞으로의 삶이 얼마나 아름답게 빛나고 또 얼마나 처참하게 망가질지 기대가 되었다. 맞은편 건물 지붕 너머로 해가 높이 떠오르고 있었고, 부엌에서는 누가 벌써 아침 식사 준비를 하는지 식기 부딪히는 소리가 요란했다. 기지개를 한번 쭉 편 나는 방문을 열고 나섰다.

"좋은 아침!"

# 이끼소년

원나윤

**원나윤**    자연과 예술에 관심이 많은 사람. 다양한 장르의 영화 작품을 즐겨보며
그 중 SF, 드라마 장르를 좋아한다. 취미는 공원에 서식하는 동식물을
관찰하는 것이다. 단편소설 속 이끼라는 소재를 택한 이유는 지난해 산
책로를 돌아다니면서 가장 많이 마주쳤기 때문이다.

손톱 사이로 낀 증거물을 바지에 문질러 없앴다. 입 안에 남아있는 흔적도 헹구기로 했다. 현관문을 열고 거실로 들어와 마주한 미련한 부부의 웃음소리와 말 없이 그들 옆에서 초록 사과를 깎아 주는 젊은 노인의 안이함에 소년은 집 주소를 잘못 찾아왔다고 생각했다.

소년은 그들과 잠시 대화를 나눈 후, 벗은 운동화를 들고나와 현관문을 세게 닫고 도망쳤다.

그 세 명의 사람들 중 한 명이라도 쫓아올까 두려워 한층 내려가 은색 하강 버튼을 눌렀다.

아파트 엘리베이터가 내려가면서 머리의 피도 발 끝까지 내려앉았다. 아까 음미했던 것 때문에 그런지 속도 울렁거리기 시작했다.

소년은 아파트 입구 자동문이 열리자 운동화를 제대로 신고 속도를 내어 근처에서 최대한 멀리 달아났다. 좌측 방향으로 꺾고 직진하다가 놀이터 옆에 위치한 좁은 입구 계단을 통해 내려왔다. 그는 도로 건너편의 아파트 단지 내 큰 이끼나무가 보이는 쉼터로 들어가 몸을 숨겼다.

남학생은 이마를 타고 흐르는 식은땀을 닦아냈다.


선선한 바람과 따스한 햇빛 아래 이서호는 하복을 입고 등굣길에 나섰다.

먹구름 색으로 칠해진 칙칙한 아파트에서 나와 놀이터를 지나갔다. 그는 아파트 단지 입구 계단을 밟고 내려갔다. 신호등 없는 도로를 건너 등교하는 몇 학생들을 따라 가까운 학교 정문을 향해 걸어갔다.

이서호는 1반 교실에 도착해 다섯 학우들이 책상에 앉아 각자 해야 할 학원 숙제와 공부를 하고 있는 모습을 봤다. 이른 아침 교실 창문에서 불어오는 선선한 여름 바람이 학생들의 고요하고 잠들었던 뇌를 깨웠다.

이서호는 조용히 자신의 자리를 찾아 앉았다.

그 날 여름 방학을 앞둔 중학교 삼학년의 반 분위기는 마치 졸업식이라도 한 듯 들뜬 상태였다.

이서호는 친구들의 웃음소리에 아랑곳하지 않고 집에서 가져온 소년만화책 〈테라포밍〉을 책상 속 서랍에서 꺼내 틈틈이 읽었다. 그는 울퉁불퉁하게 이로 뜯겨진 손톱이 달린 엄지손가락으로 움직여 보는 작은 핸드폰 보다는 한 장씩 넘겨보는 종이책에 익숙했다.

〈테라포밍〉은 이서호의 단짝 친구인 배은우가 추천해준 명작 만화였다.

배은우는 중학교 일학년 때 동네 영어학원에서 이서호와 같은 반이 되면서 친해졌다. 여자인 친구가 낯설기만 했던 이서호는 배은우가 먼저 다가와 말을 건네면서 이서호도 마음을 열게 되었다. 당시 그 둘은 같은 중학교에 다른 층에 있어도 쉬는 시간과 점심 시간을 빌려 소년만화에 대한 얘기를 즐겁게 나누곤 했다.

배은우가 추천해준 그 만화책은 미래시대 외계 생명체의 침공으로 인한 우주전쟁 그 이후 황폐화된 행성에서 생존하는 소년의 모험 이야기였다. 이서호는 주인공이 세 명의 개성이 있는 동료들과 함께 우주 비행선을 탑승하며 미지의 행성들을 탐험하는 장편 만화책의 매력에 푹 빠졌다.

배은우와 만화 속 환경, 전투 장면 그리고 각 행성들의 기이한 현상에 대해 대화를 나누다 보면 평소 말수가 적은 이서호의 입을 분주하게 만들었다.

기나긴 수업 시간을 지나 종례가 끝나자 반 앞에서 한 여학생이 이서호를 향해 반갑게 손을 흔들었다. 여름 생활복을 입고 있는 배은우였다.

"이서호, 좋은 소식이 있어. 〈테라포밍〉 올해 애니메이션으로 제작한대."

신발장에서 운동화를 꺼내 신은 이서호는 그 소식에 눈을 커다랗게 떴다.

"내 학창시절 네가 추천해준 만화만 보다가 다 가겠어. 정신 차리고 공부해야 하는데."

이서호의 말에 배은우는 헛기침을 하며 장난기가 든 말로 받아 쳤다.

"너 공부 잘 안 하는 거 다 안다."

그 둘은 서로 눈웃음을 지으며 키득거렸다.

초여름의 습하지 않은 맑은 공기와 거대한 뭉게구름이 외출한 오후 세 시의 하늘은 근사한 풍경을 자랑했다. 학교를 나온 이서호와 배은 우는 눈에 익숙한 나무가 있는 쉼터로 향해 걸어갔다.

만화 얘기를 하던 도중에 배은우가 대화 화제를 전환했다.

"어제 아빠가 기말고사 성적 보고 너 이렇게 할거면 학원 다니지 말라고 했다? 비싼 돈 주고 학원 보내도 효과 없으면 때려치우라고 하더라. 그리고 첫째가 그 모양이면 막내도 너 보고 따라간다고 막 성 내고. 엄마는 용돈 줄인다고 옆에서 거들어서 크게 싸울 뻔 했어. 성 적이 뭐라고."

배은우는 가족과의 불화를 아무렇지 않게 이서호에게 털어놨다.

이서호는 쉽사리 말을 꺼내기 어려웠다. 다만 그가 전에 국어 교과 서를 놓고 온 날을 상기시켰다.

배은우에게 빌렸던 책은 수업 필기가 가득 채워져 있었다. 몇 번을 복습했는지 책 속은 깨끗하지 않은 편이었다.

"너는 학원도 빠짐없이 다니고 노력하는 거 보이니까 그 말들을 너 무 마음에 담지는 마."

그는 짧은 위로의 말을 건넸다.

"다 큰 어른들이 보면 더 유치해."

쉼터에 도착한 그 둘은 잠시 동안 벤치에 편한 자세로 앉아 만화와 고등학교 진학 얘기를 나눴다.

대화를 나눈 이후에 그 둘은 멍하니 주의를 감싸는 나무를 바라보았다.

배은우가 먼저 입을 열었다.

"여기에 오면 꼭 〈테라포밍〉에 나오는 숲이 생각나지 않아? 이끼가 없는 나무가 없어."

"그러게. 주인공이 불멸의 숲에서 식량이 없어서 이끼를 긁어 먹는 장면도 생각나. 주인공이 함부로 먹고나서 지독한 악몽을 꾸게 되는 편이 있었지."

이서호는 배은우의 말에 동의했다. 그가 처음에 봤던 여름의 쉼터는 마치 미지의 세계에 나올 법한 초록으로 물든 영적인 장소와 같았다.

그는 그 중에서 벤치 오른쪽에 위치한 녹빛 이끼로 이루어진 커다란 고목나무를 좋아했다. 나이가 가늠이 가지 않아 더욱 그에게 신비로움을 주었다.

"너 왜 주민들이 이 나무에 자라난 이끼를 그냥 두는지 알아?"

배은우가 그에게 질문을 했다.

"모르겠어. 내가 초등학교 때 여기로 이사 왔을 적에도 여기는 지금과 같았어. 이끼를 제거하지 않는 이유라도 있어?"

이서호가 호기심을 가지고 물어봤다.

"1900년대 이 쉼터 주변에서 나무를 심고 관리하던 늙은 부부가 있었는데, 그들은 아파트 개발로 쫓겨나게 됐어. 땅을 내주는 대신에 그 부부가 지역주택조합 측에 '자신들의 재산인 나무와 나무에 자라날 식물들은 손대지 않는다.'라는 조건을 걸었어. 시청에서도 부부의 조건을 받아들였대. 그 부부는 나무가 자식처럼 느껴졌다고 해. 옛 나무가 세월이 지나도 끊임없이 성장한다는 것을 미래 자손들에게도 보여주고 싶었다 들었어."

배은우는 책가방을 열고 생수병을 꺼내서 물을 한 모금 마셨다.

"개발 이후 시간이 흘러 쇠약했던 부부는 세상을 떠났어. 그 이후로 기이한 사건이 일어난 거야.

우리가 태어나기도 전에 있던 일이야. 이 나무에 이끼가 듬성듬성 자라나기 시작했고, 그 당시 주민들은 사람 몸에 해롭게 하는게 아닐까 싶어서 조경업체를 통해 이끼 제거 작업을 요청했대. 내 생각에는 예뻐 보이지 않아서 그랬던 것 같아."

배은우는 사뭇 진지하게 말을 이어갔다. 반면에 이서호는 배은우가 어떻게 이 동네의 옛날이야기를 구체적으로 알고 있는지 놀라웠다.

"부부가 나무에 자라는 식물도 건들이면 안된다고 했었잖아."

이서호는 질문했다.

"맞아. 그런데도 주민들이 계속 요청했나 봐. 결국 이끼를 없앴다는 거야. 그 다음 날, 제거 작업에 적극적으로 참여했던 사람들이 갑작스레 가족과 사이가 멀어지게 됐다는 얘기가 있어."

"방금 지어낸 거 아니지?"

이서호는 괴담을 듣고 있는 듯 했다.

"듣기로 한 주민은 몰래 하던 도박생활이 배우자에게 탄로나 부부 사이에 불화를 가져오고, 어떤 관리소장은 자녀들이 독립해서 돌아오지 않았다는 얘기가 있어."

배은우는 설명했다.

"그래서 여기 나무들은 앞으로 절대 건들지 않기로 했나 봐. 나도 이웃 할아버지께 들었어. 지금은 안계시지만."

"이런 이야기는 처음 들어 봐."

이서호는 이 이야기가 주민들 사이에 전달되면서 와전된 것 같아 쉽게 믿기 어려웠다.

이서호와 배은우는 짧게 인사를 나누고 각자의 집을 향해 걸어갔다.

집으로 돌아가는 길, 바지 주머니에서 문자 알림 소리가 들렸다.

아들, 아빠다. 요즘 어떻게 지내는지 궁금해. 잘 지내니?

잘 지내요. 무슨 일로 연락하셨어요?

무슨 일이긴. 보고 싶으니까 그렇지. 네 아버지 얼굴은 기억나니?

네. 기억나요.

건성으로 대답하는 게 여전하네. 네 방학 때 우리 가족끼리 외식 한 번 하자. 서호엄마한테도 연락할 참이었어. 둘 다 많이 그립다.

외식 얘기는 제가 엄마에게 직접 전달할게요.

그래. 먹고 싶은 거는 있어?

해가 저문 밤, 이서호는 편한 여름 잠옷을 입고 침대에 몸을 던졌다. 그는 어두워진 방 안에 환한 빛을 내는 핸드폰 속 그의 아버지와 나눈 문자를 보며 깊게 숨을 내쉬었다.

답장을 하면 대화의 끝이 안보일 것 같았다. 그는 '고민해 볼게요. 안녕히 주무세요.'라는 마지막 말을 남기고 핸드폰을 뒷면으로 베개 아래에 두었다.

"우리 가족이라니. 언제부터 다시 가족이 된 거야."

이서호는 중얼거렸다. 두 눈을 감자, 졸음이 그를 덮쳤다.

창문 틈새로 들어오는 자연 빛이 그의 눈을 간지럽혔다. 이서호는 이불을 얼굴까지 덮었다.

그는 주말 아침은 오전 열 시까지 아무 방해 없이 잘 수 있었다.

평일 새벽 여섯 시가 되면 이서호의 외할머니가 문을 두드려 잠을 깨웠다. 일찍 일어나는 습관이 성공하는 사람과 건강한 사람으로 만들어준다는 말이 있지만, 이러한 기상 방식은 때로는 그를 피곤하게 만들곤 했다.

이서호는 방 안을 채운 햇빛 열기에 더위를 못 견디고 일어났다. 눈을 뜨고 시간을 확인하기 위해 핸드폰을 찾았다.

베게 근처에 둔 핸드폰은 침대 위에 없었다. 침대 옆에 있는 낮은 나무 수납장에 시선이 갔다. 수납장 위로 핸드폰이 올려져 있었다.

그는 먼저 핸드폰 화면을 확인했다. 토요일 오전 9시 15분. 그리고 전날의 검색기록을 지우려고 엄지손가락을 사용해 화면 하단을 위로 끌어올렸다. 기록내역이 사라졌다.

그는 정리한 기억이 없어서 당황스러웠다.

이서호는 자리에 일어나 방 문을 열었다. 문을 열자 진한 멸치육수 냄새가 진동했다. 아침은 엄마표 잔치국수일 것이라고 확신했다.

아침식사를 준비하는 그의 엄마를 향해 빤히 응시했다.

"일찍 일어났네? 멀뚱히 서있지 말고 와서 아침 먹어."

이서호의 엄마가 말했다.

"저, 엄마. 어제 핸드폰을 머리맡에 두고 잤는데 아침에 서랍장 위에 놓여 있었어. 검색기록도 사라져 있고……. 나는 자기 전까지 아버지와 문자하고 있었는데."

"무슨 말이야? 아빠하고 연락하는 줄도 몰랐어. 네가 어제 잠결에 기록 지운 거 아니고?"

그의 엄마는 처음 들어보는 듯 눈을 크게 뜨며 말했다.

"그럼 내 핸드폰 안 본거지?"

"얘가 정말. 내가 왜 그런 행동을 해. 의심하지 말고 밥 먹을 준비 해."

엄마의 말에는 얕은 짜증이 조금 담겨있었다.

이서호 본인도 괜한 의심을 한 것 같아 스스로에게 부끄러웠다.

그는 식사를 마치고 거실 소파에 앉아 만화책을 읽으면서 짐짐한 기분을 풀려고 했다. 소파에 앉자 문자 한 통이 왔다.


방학 곧 한다며? 얼굴 자주 봤음 좋겠다. 고등학교 올라가면 바빠서 보기 더 힘들 거 아니야.


이서호는 인상을 찌푸렸다. 여름방학 소식을 알고 있는 그의 아버지가 신경 쓰였다. 그때 거실로 나오는 분주한 발걸음 소리가 들렸다.

"엄마 오늘 학생과외 보충이 있어서 갔다 올 거야."

이서호의 엄마는 말했다. 그리고 현관문을 향해 빠르게 걸어갔다. 이서호는 소파에 앉은 채 잘 다녀오라는 말과 함께 그의 엄마를 흘긋 쳐다보았다.

그의 엄마는 과외 선생으로 초등학교 고학년 국어 학습지가 들어있는 어깨걸이 가방을 들고 밖을 나섰다. 오늘은 평소와 달랐다. 머리를 만지고 옷도 정장 차림으로 단정하게 입고 나갔다.

학생 부모와 상담이 잡혀 있는 날인 것 같았다.

"서호야, 영어학원 숙제는 다 했어? 오늘 두 시 수업이지?"

할머니가 부엌 식탁에 앉아 나물을 부지런히 다듬으며 말했다.

"네. 학원 다녀온 날에 미리 끝냈어요."

이서호는 차분해진 어조로 말했다.

그는 약간 긴장하고 예민해 있던 상태였다. 가벼운 스트레칭으로 긴장감을 풀어주었다. 그는 간단히 점심을 해결하고 학원 갈 준비를 했다.

학원 가기 전, 자외선 차단제를 얼굴에 바르기 위해 엄마 방에 들어갔다. 화장대에 놓여있는 선크림을 가지고 나오기만 하면 됐다. 하지만 화장대 위 엄마의 일정이 담긴 달력이 눈에 들어왔다.

오늘 날짜에는 학생이름과 과외 시간대가 적혀 있지 않았다. 지워질 듯한 연필로 쓴 '이정석' 이름이 적혀 있었다.

이서호는 엄마에 대한 의심을 지울 수가 없었다. 이서호의 엄마는 그를 속이거나 거짓말을 하는 행동은 하지 않았었다. 그는 고개를 한 번 젓고 선크림을 챙기고 방에서 나왔다.


길었던 오후 학원 수업을 마친 이서호는 여유롭게 동네 길을 산책했다.

바깥공기는 상쾌했다. 집에 곧바로 돌아가기 싫은 그는 쉼터로 향해 걸어갔다.

나뭇잎이 스치면서 나는 청량한 소리가 크게 울렸다. 큰 고목나무 옆 벤치에 눕듯이 앉은 이서호는 어제 배은우와의 대화 내용을 떠올렸다.

"무슨 노년의 부부가 나무에 결계라도 쳤나. 이끼가 곧 여기 돌바닥도 지배할 것 같은데."

이서호는 문득 나무를 조금 건드리면 어떻게 될지 궁금해진 나머지 자리에 일어나 고목나무 앞에 섰다. 오른손 손바닥을 펴 나무 줄기에 기생하는 이끼를 만졌다.

보기보다 보드레한 촉감의 털깃털이끼였다. 그가 즐겨보던 다큐멘터리 한국 선태식물편에서 나온 이끼와 동일해 단번에 알아챘다.

잔잔한 바람에 살랑거리던 나뭇잎은 이내 잠잠해졌다.

배은우가 말한 민담 같은 이야기가 사실인지 소문인지 그는 직접 확인해보고 싶었다.

나무를 해치는 것은 옳지 않았고, 선태식물을 손상시키는 행위는 옳지 않았다. 나무 아래 흙에서 자란 흰 버섯은 식용버섯이 아니었다.

그는 손으로 나무를 더듬거리다 엄지 손톱으로 이끼를 소심하게 긁어보았다. 이서호는 만화에 나오는 장면을 구현해 보기로 했다. 아는 이웃이 보기라도 할까 눈동자를 이리저리 굴렸다.

이끼가 먼 훗날 식량이 될지도 모른다는 얘기도 있었다. 한치의 고민도 없이 이서호는 손톱을 입에 가져가 묻은 이끼를 맛봤다.

어린시절 텔레비전에 나오던 영화 속 영웅을 보고 그를 따라하면서 혼자만의 연극을 펼치던 그 시절로 돌아간 것만 같았다.

"윽. 이게 뭔 맛이야."

입 안에 머금은 이끼는 수분기가 있어 촉촉했다. 마치 오돌토돌한 잔디를 씹는 것 같았다.

이서호는 정신을 차리고 나무 앞에서 입에 있던 이끼를 뱉었다.

그는 없던 일로 하고 집에 가서 입 속의 미생물을 헹구고자 했다.


집에 도착한 이서호는 현관문을 열고 "왔어요."라는 짧은 인사말을 했다. 그때였다.

이서호는 거실로 들어오자 익숙한 남자를 발견했다.

"여기에는 어쩐 일로…, 오셨나요."

부부와 할머니는 현관 앞에 나온 그를 보며 웃음을 띠었다. 그들은 기분이 유독 좋아 보였다.

외할머니는 주름 진 손으로 사위를 위한 초록사과를 정성스레 깎고 있었다.

"이서호, 잘 지냈어? 못 본새 더 큰 거 같다."

담배를 달고 살아가는 쉰 목소리의 40대 후반 남성. 장신의 남성. 눈가에 짙게 핀 주름. 허름해 보이지만 나름 차려 입고 나온 옷. 오래된 옷장 냄새. 이서호의 아버지였다.

"서호야, 네 아버지 왔어. 인사 드려야지."

"우리 서호 왔어? 손 씻고 와서 사과 맛 좀 봐. 네 아빠가 사왔는데 꿀맛이냐. 지금이 제철이야."

가족은 모두 이서호를 찾았다. 동시에 말하며 웃는 그들이 평소답지 않았다.

이서호는 부모의 이혼 이래로 다소 차가운 집안 분위기에 적응하며 살아왔다.

그의 엄마는 집안의 가장으로서 책임감을 가지게 되면서 냉소적으로 변했다. 이혼 후 이서호의 엄마는 텔레비전에 나오는 예능 방송을 보며 웃는 것을 제외하고, 행복해서 웃는 모습은 보이지 않았다.

외할머니는 자식의 이혼을 받아들이기 어려워 했다. 둘은 이혼해도 여전히 끈이 이어져 있어서 돌아온다면 너그럽게 한 번만 용서해달라고 엄마에게 자주 얘기했었다.

두 모녀는 때때로 말다툼을 했고, 그럴 때마다 이서호는 독서실에 가거나 방 침대에 누워 두 귀를 막았었다. 그렇게 그들은 지내왔다.

"엄마, 아버지와 연락 끊은 거 아니었어? 이혼 전에 아버지가 자기 형이 가구공방 창업에 실패해서 빚지고, 직장은 안 구해진다며 불쌍하다고 엄마한테 부양해달라고 협박했었잖아. 당시에 외할아버지가 위독하셨을 때 말이야."

이서호는 자신이 묻히고 싶던 과거를 입 밖으로 꺼냈다.

"아니, 들어봐 선호야. 우리 형, 지금은 많이 회복하고 잘 살고 있어. 지금은 아빠가 운영하는 가게에서 일 도와주면서……"

"아버지 그때 엄마한테 화병 던졌잖아. 깨진 파편이 내 다리를 긁혔고."

이서호는 그 사람의 말을 잘랐다.

"내가 언제. 아, 그거는 그때 너무 속상해서 술김에 그랬던 거야. 진짜 엄마한테는 던지지 않았잖아. 그리고 네가 방에서 나오지 않았으면 다칠 일도 없었고. 아니다. 미안해. 지금도 미안해하고 있어."

그 사람은 점차 목소리가 커졌다.

"그런 변명은 필요 없어. 나 그 당시 고작 11살이었어."

"나도 그때는 일이 풀리는 게 없어서 마음고생 심하게 했어. 너도 나이가 들면 내 마음 어느정도 이해될 거야."

그 사람은 자신을 보호하기 급급했다. 그의 아버지가 한 모든 말들이 이서호에게 또 다른 상처를 주었다. 화가 치밀어 오르다가, 그 사람처럼 분노를 절제 못하는 사람은 되기 싫었다. 하고 싶은 말이 많았지만, 입 밖으로 내지 않았다.

"그만. 둘 다 그만해. 이서호, 방에 들어가 있어. 이따가 저녁 먹으러 같이 나가자. 서호아빠, 목소리 낮춰. 애 또 놀라게 하지 말고."

이서호의 엄마는 대화의 불씨를 끄기 위해 그 둘을 중재했다.

"핸드폰 안 봤다는 말. 그 말 거짓말이었지? 연락은 언제부터 다시 했어?"

그의 엄마는 대답 대신에 깊은 한숨을 내쉬었다.

"오늘 과외 없었지? 학생들 과외 일정 적어 두는 달력을 봤어."

어른들은 울먹거리는 이서호의 목소리에 잠시 말을 잃었다.

"우리 서호, 저녁에 서호가 좋아하는 삼겹살 먹으러 갈까?"

외할머니가 정적을 깨고 말했다. 좋아하는 음식 권유 조차도 위로가 되지 않았다. 더군다나 이끼를 먹어서 그런지 입맛이 없어진 이서호는 단호하게 거절했다.

"아니요, 오늘은 생각 없어요."

이서호는 신발을 들고 집 밖으로 나섰다.


그가 향한 곳은 건너편의 쉼터였다.

어른들이 만든 이 세상은 좀처럼 이해가지 않는 것들 투성이였다.

이서호는 뙤약볕을 가려주는 나뭇잎 아래로 몸을 숨겼다. 그는 쉼터의 야외 벤치에 미끄러져 눕듯이 앉았다. 그는 멍하니 옥색으로 물든 회색 돌 바닥을 보다가 고개를 들어 고목나무가 내린 여름의 푸른

잎들을 감상했다.

시원해진 그늘 속에 잠시동안 이서호는 그가 이해하기 어려운 어른들의 세계에서 벗어났다는 해방감과 동시에 쓸쓸함을 느꼈다.

성장 중인 그에게는 기둥이 되어주는 나무가 필요했다.

흔들리지 않는 기둥을 가진 사람들이 뿌리를 내리고 다복스럽게 잘 살아갔다. 유복한 어느 가정과 자신의 집안을 비교하니 그를 비참하게 만들 뿐이었다.

그는 복잡한 감정에 이내 눈물을 터뜨렸다.

쉼터 옆으로 지나가는 이웃이 그가 우는 모습을 슬쩍 쳐다봤다. 이서호는 급히 마음을 진정시키고 얼굴을 정리했다. 눈물이 젖은 축축한 손을 양 다리에 문질러 닦아낸 그는 숨을 크게 들이쉬고 내쉬었다. 그는 한참 동안 녹음 가득한 나무 아래 눌러앉아 시간을 보냈다.

이서호는 메마른 나무에 붙은 죽은 이끼와 같다고 생각했다.

해가 저물어도 그는 한 나무를 응시했다. 그 순간 소름이 끼쳤다.

'늙은 부부의 나무 이야기.'

'자신들의 재산인 나무와 나무에 자라날 식물들은 손대지 않는다.'

그는 오늘 그 나무의 식물을 맛보고 나무 정면에다 뱉던 일을 떠올랐다. 나무를 건든 사람들은 가족과 틀어지게 됐다고 들었다.

자리에 일어나 고목나무를 마주했다.

"그 사건은 진짜였어. 이 나무가 도대체 뭐라고 그 사람들에게 저주를 내린 거야."

자신은 그저 호기심에 해본 행동이었을 뿐 나무를 괴롭힐 생각은 없었다고 말하려던 차에 그의 아버지가 떠올랐다. 이서호는 그 사람이 말할 법한 말은 꺼내기 싫었다.

　그런 속이 보이는 어른으로 크기 싫었다. 자신의 일에 책임을 져야 했다.


*'당신들은 도대체 무엇이기에 저를 아프게 했나요.'*


　그때 중후한 노인의 목소리가 이서호의 뇌를 비집고 들어왔다.

　관자놀이를 타고 흐르는 식은땀이 턱까지 타고 내려왔다. 그는 지금껏 느껴보지 못한 극심한 공포를 느꼈다. 단순히 크다고 생각했던 나무는 거대한 하나의 생명체처럼 보였다.

　발이 좀처럼 쉽게 떨어지지 않았다. 그 굵직한 목소리가 다음에 어떤 말을 할지 두려웠다.

　"저, 오늘 제가 했던 행동은 죄송했습니다. 다시는 그런 행동하지 않도록 주의하겠습니다."


*'그리고 저는 당신들을 저주한 적은 없어요. 미워할 힘도 없고요. 그저 멀리서 지켜볼 뿐입니다. 그대들에게 일어난 일은 의도하지 않은, 일어날 수 밖에 없는 그런 운명이었을 겁니다. 저는 마음에 상처*

받은 인간들을 위해 있는 마음의 안식처 같은 존재입니다. 그게 다예요.'

머리에 들어오는 음성은 컸지만, 한 단어마다 잘 들릴 수 있게 천천히 차분한 목소리로 설명했다.

이서호는 할 말을 잃었다. 그는 몸을 떨었다.

'겁을 주려는 것이 아니었는데…, 죄송합니다. 저에게 말을 걸어주는 상대가 고운 마음씨를 가졌던 부부 이후로 오랜만에 나타나서 잠시 흥분을 주체 못 했나 봅니다. 당신을 보면 그 부부가 생각나기도 했습니다. 이곳 학생들은 저를 안 찾거든요. 매력적인 곳도 많을 터인데, 자주 찾아와줘서 고마웠습니다. 이만 가보겠습니다. 편히 쉬다 가세요.'

노인의 목소리가 머릿속에서 사라지자 이서호는 오늘 겪은 일들에 정신이 혼미해 쓰러지고 말았다. 푹신한 질감의 이끼 바닥 위로 떨어져 물리적 충격을 덜 수 있었다.

방금 전만 해도 그가 쓰러진 자리는 돌 바닥이었다. 기묘한 일이 일어난 것이 분명한데, 신경 쓸 겨를 없이 피곤했던 소년은 늙은 나무 아래 이끼를 베고 잠에 들었다.

　그가 누운 바닥은 침대보다도 더 포근했다.

# 대파

이정우

**이정우**    열심히 세상을 살아가고 있는 한 사람입니다. 긍정적인 감정은 간직하고 싶어서 에너지로 축적합니다. 부정적인 감정은 떨치기 위해 글로 표현하는 습관이 있습니다. 이 책을 읽는 독자들에게 적절한 에너지를 나누고자 긍정과 부정을 모두 넣기 위해 노력하였습니다. 글로 쓸 수 있어야 말로 제대로 뱉을 수 있음을 깨닫고 글 공부를 시작했습니다. 누군가의 감정을 작품으로 털어내어 줄 수 있는 작가이고 싶습니다.

email : jungmilk@naver.com

수연의 할머니는 항상 화분에 파를 길렀다. 두 달 동안 길게 자란 하얀 파를 무심하게 툭 따고 큼지막하게 썰어 대파 장아찌를 만들었다. 할머니표 대파 장아찌는 입 안에 가득 넣고 씹으면 톡톡 터지는 식감과 알싸한 파의 향이 간장 달인 물에 절여져 봄처럼 향긋했다. 수연은 출근 전 대파 장아찌에 어젯밤 먹다 남은 돼지고기를 데워 한입 크게 씹었다. 톡톡 터지는 식감이 느껴졌다. 동시에 수연의 눈에서는 굵은 눈물이 툭툭 흘러내렸다.

그가 떠난 지 4주째, 그는 대체 어디로 갔을까?

밥상 앞에 우두커니 앉아서 그를 떠올렸다. 수연과 강준의 지난 1년은 행복감으로 가득 차 있었다. 항상 초조하고 불안정했던 수연을 잡아준 것도 그였다. 그런 그가 아무런 말도 없이 수연을 떠나갔을 때, 수연의 상실감은 배가 되었다. 달력을 바라보며 그가 떠난 날이 벌써 27일째라니 믿을 수 없다는 듯 수연은 고개를 세차게 흔들었다. 대체 나를 왜 떠났을까? 하는 물음표에 아직 답을 내리지 못한 상황이었고, 그를 수소문했지만, 도무지 연결고리를 찾을 수 없었다. 우두커니 생각하던 수연은 눈이 붓지 않을까 걱정했다. 얼른 자리에서 일어나 냉장고 얼음 찜질팩을 꺼냈다. 마음을 다잡기 위해 심호흡을 한 번 하고, 시계를 봤다. 오전 5:55분. 지하철 두 정거장의 가까운 회사지만, 6:30분까지 출근해야 하는 수연은 화들짝 놀라 대강 챙겨진 짐들을 쥐고 회사로 달려갔다.

"자 수연 기상캐스터. 스탠바이. 큐!"

"8월의 첫날, 홍천군은 우리나라 역사상 최고기온인 41도를 기록한 가운데 서울, 경기 내륙, 강원 영서 지역도 폭염경보가 내려졌습니다. 오늘은 되도록 외출 자제하셔야겠습니다. 지금까지 날씨 전해드렸습니다"

2018년 여름, 대한민국 역사상 가장 극심한 불볕더위가 찾아왔다. 스튜디오는 18도에 맞추어 놓아 시원했다. 반면 수연은 뜨거운 조명과 긴장감으로 땀범벅이 되어 사무실로 돌아왔다. 지연 송출하는 모니터 화면에는 반짝일 정도로 환하게 웃는 수연의 모습을 볼 수 있었다. 수연은 자리로 돌아오자마자 혹시나 그의 연락이 왔을까 스마트폰을 켰다. 미확인 메시지 '0'. 수연은 터져 나오는 눈물을 가리기 위해 화장실로 급히 향했다. 그와 처음 만난 건 작년 여름이었다.

2017년 여름은 그래도 버틸 만한 날씨였다. 급작스럽게 오른 습도와 지구온난화 영향으로 우리가 겪어왔던 여름과는 차원이 달랐지만, 수연은 더위를 느낄 겨를이 없을 정도로 회사 생활에 적응하느라 바빴다. 방송인의 꿈을 가지고 열심히 준비했고, 기상캐스터로 방송할 수 있게 되어 기뻤다. 하지만 현실은 생각보다 냉혹했다. 수연은 갓 들어온 신입 기상캐스터일 뿐인데 전문가의 모습을 원했으며, 사람들이 외적으로 기대하는 기대감도 높았다. 앞으로 더 큰 매체에 입사해서 방송하고 싶은 수연은 내가 이 냉혹한 현실을 버틸 수 있을까? 조금은 불안해졌다.

수연은 동네에서 빠지지 않는 예쁘장한 얼굴의 소유자였다. 어딜 가나 외모에는 자신 있었다. 자라면서 한 번도 성형수술을 할 거로 생각하지 못했다. 하지만 20대 후반이 되면서 불가항력적인 나이 들어감을 체감했다. 그때부터 수연은 병원에 자주 발걸음하기 시작했다. 어리고 예쁘고 각종 미인대회 출신의 후배 방송인들의 싱그러운 얼굴을 보며 가지 않을 수 없었다. 가장 먼저 28살에 수연은 살짝 퍼져 있었던 코를 손봤다. 얼굴을 올라붙게 만드는 시술도 매달 하기 시작했다. 항상 뾰족하고 예쁜 다리를 더욱 예쁘게 만들 수 있는 11㎝의 힐을 매일매일 신었다. 매일 불안정한 걸음걸이로 다녔지만 꼿꼿하게 허리를 펴고 최대한 안정적으로 걸으려는 수연의 노력에 아무도 그녀가 높은 힐을 불편해하는지 알지 못하였다.

그때 준이가 나타났다. 11cm 넘는 높은 힐에 익숙하지 않은 수연은 뒤꿈치에 상처를 달고 다녔다. 준이는 수연을 보자마자 아프지 않냐며 놀란 얼굴로 밴드를 건넸는데, 그 손과 눈빛만 봐도 다정한 사람이라는 것을 짐작할 수 있었다. 다부진 몸에 깔끔하게 차려입은 세미 정장은 평소 자신의 커리어가 중요해서 연애를 잘하지 못했던 수연의 시선을 끌기에도 충분했다. 훑어본 준이의 복장 사이로 십자가 모양의 목걸이가 눈에 띄었다.

수연은 유심히 그를 쳐다보다 감사하다며 고갯짓으로 인사한 뒤 스튜디오를 향해 빠른 걸음을 재촉했다. 3분의 짧지만 긴 일기예보를 전한 수연은 땀범벅이 되어 스튜디오를 빠져나오다 수연을 기다리고 있는 그를 마주했다.

"피디님께 물어보니 수연 씨 마지막 스케줄이라고 해서 기다렸어요. 시원한 커피 한잔 어때요?"

달리 거절 할 말이 떠오르지 않아 수연은 고개를 끄덕였다. 사실 거절할 수 있었지만, 시원한 아메리카노가 당겼던 탓이라 생각했다. 강준은 방송국에서 일주일에 한 번 사업 초기, 어려움을 겪고 있는 청년 CEO를 자문해 주는 자문단 역할을 하고 있었다. 간단하게 자기소개를 마친 준은 익숙한 듯 아이스 커피를 수연에게 건넸다. 준이를 천천히 살피던 수연은 무언가 생각났다는 듯 휘둥그레진 눈으로 준이를 쳐다보았다.

"맞아요. SNS에서 수연 씨를 쭈욱 지켜봤어요. 매일 '좋아요' 누르는 제 모습 기억하실까 싶어서 인사한 건데 혹시 기억하세요? 아이스 커피 좋아한다고 올린 글이 생각나서……."

수연은 SNS 인플루언서였다. 할머니와 함께 대파 기르는 모습을 기록용으로 남기고 싶어서 시작한 포스팅이 큰 인기를 끌었다. 대파가 자라는 모습을 매일, 두 달 동안 꾸준히 올렸더니 조회수가 점점 올라갔다. 할머니와 대파를 수확해서 대파 장아찌를 만드는 영상을 올렸을 땐 인기 동영상에 등극하기도 했다. 이후 수연이 기상캐스터라는 것을 알게 된 사람들이 '대파 기르는 기상캐스터'라는 별명을 붙여줘서 더욱 인기를 얻기 시작했다. 그맘때쯤 그녀의 팔로워 수는 급속도로 올라가서 만 명을 돌파했다. 특히 할머니와 속초에서 아바이 순대와 대파 장아찌를 먹는 영상은 클릭 수 319만 회를 기록하며 수연의 가장 조회수 높은 영상으로 자리매김했다. 수연은 수많은 팔로워 속에서도 매일 '좋아요'를 누르는 준이를 기억했다.

준이의 프로필 사진은 특이했다. 본인 사진을 올리는 다른 사람들과는 다르게, 친구와 함께 환하게 웃고 있는 사진을 프로필 사진으로 해 두었다. 그래서 수연은 둘 중 누가 준이인지 궁금했고, 기억에 남을 수밖에 없었다.

준이는 수연에게 꽤 적극적이었다. 일주일에 한 번씩 녹화 날 아이스 커피를 들고 수연의 생방송이 끝나길 기다렸고, 정확하게 30분 동안 수연과 이야기를 나누다가 사업장으로 돌아갔다. 준이는 수연이 출근하는 이른 아침부터 잠드는 하루 끝까지 일상을 공유하며 수연에게 익숙한 사람이 되어갔다. 매주 같은 장소에서, 그리고 SNS의 공간에서 자신을 기다리는 준이를, 수연은 참 안정적인 사람이라 느꼈다.

누가 먼저 만나자는 이야기를 할 것 없이 준과 수연은 연인처럼 지냈다. 시간을 쪼개 매일 만났다. 준이는 여름 한강을 좋아하는 수연을 위해 무슨 일이 있어도 일주일에 한 번씩 한강에 함께 갔다. 한강 라면을 먹었고, 자전거를 탔고, 때로는 오리배를 타면서 2시간 3시간씩 서로의 이야기를 늘어놓곤 했다. 일요일에는 매주 주일예배를 가는 준이를 따라 수연도 함께했다. 종교가 없는 수연이지만 준이와 함께라면 뭐든 할 수 있었다. 준이를 쫓아간 교회에서 준이의 프로필 사진에서 볼 수 있었던 혁민이라는 친구를 만났다. 깔끔한 혁민의 인상에 수연은 반갑게 인사했고 준이에게 좋은 친구가 있는 것 같아 내심 기뻤다.

혁민은 준이의 고등학교 시절부터 20년 동안 함께한 친구라고 자신을 소개했다.

"혁민 씨 제가 많이 궁금해 했어요. 강준 씨와는 단짝인가 봐요? SNS 프로필사진을 친구와 함께 찍은 사진으로 해놓은 사람은 준이씨밖에 없을 거예요."

"고등학교 때부터 친구였으니까 20년이나 됐네요. 이야기 많이 들었어요. 수연 씨. 이렇게 보니까 반갑네요."

어쩐지 반가워서 호들갑스러운 수연과는 달리 혁민은 수연만큼 반가워하지 않는 기분이었지만 수연은 환하게 웃으며 혁민을 마주했다. 일정한 패턴이 만들어진 그들의 관계는 안정적이었다. 수연은 불안한 직업 속에서 준이라는 안정감을 만나 모처럼 숨 쉴 틈이 생겼다. 비로소 나를 응원해 줄 수 있는 단짝을 만나 행복하다고 느꼈다.

준이와 행복한 시간을 보내고 집으로 돌아오면 할머니가 수연을 반갑게 맞아줬다. 수연은 줄곧 외할머니 품에서 자랐다. 정확하게 이야기하면 외할머니가 수연을 거둘 수밖에 없었다. 생활고에 수연을 외할머니에게 맡긴 채 떠나버린 엄마 아빠는 돌아오지 않았다. 그런데도 외할머니는 수연에게 맹목적인 사랑을 주었다. 가끔 할머니가 경로당에 가 있을 때, 수연은 몰래 할머니의 보물 상자를 열고 부모님의 사진을 종종 봤다. 할머니가 항상 기도하면서 손에 쥐고 있는 십자가 아래 화려한 이목구비를 자랑하는 수연의 부모님 사진이 있었다. 수연의 부모님은 연예인 지망생이었다. 서로 의지하며 지내다가 혼인 신고도 하지 못한 상황에서 수연이 태어났다. 감당할 수 없었던 수연의 엄마 아빠는 외할머니에게 수연을 잘 부탁한다는 이야기만 남긴 채 떠났다. 그 뒤 한 번도 나타나지 않았다. 어쩌면 수연은 그게 다행이라 생각했다. 수연의 인생에 없는 사람들이라 생각하고 그리워하지 않을 수 있었다.

할머니와 수연은 오랜 친구였다. 할머니는 갓 20살이 넘은 수연을 데리고 포장마차에 가서 가락국수에 소주를 캬- 하고 털어 넣는 방법을 알려주었다. 저녁 식사 후에는 수연과 이야기를 나누며 TV를 함께 봤다. 할머니는 뉴스를 볼 때마다 '수연아 넌 날 닮아서 얼굴 예쁘장하잖아. 저기 언니들처럼 뉴스 나왔으면 좋겠다.'라고 말했다. 할머니는 수연을 금이야 옥이야 기르지 않았다. 그냥 인생의 동반자로 함께했다. 수연은 할머니의 따스한 보살핌 덕분에 국립 중학교, 고등학교를 졸업했고 할머니가 입버릇처럼 이야기했던 언론정보학과에 입학했다. 3년 동안의 치열한 준비 끝에 작은 매체였지만, 기상캐스터가 될 수 있었다.

수연은 그런 할머니가 떠날 거라는 생각은 한 번도 하지 않았다. 아니 못했다. 그래서 가끔 가슴이 먹먹하다는 할머니의 말이 대수롭지 않게 느껴졌다. 여느 때와 같이 그날도 할머니는 가슴이 먹먹하다고 했다. 수연은 할머니의 손을 주무르며 '자고 일어나면 괜찮아질 거야 할머니.'라고 이야기했지만. 할머니는 주무시다가 일어나지 못하셨다. 할머니 나이 여든 둘이었다. 사람들은 자연스러운 일이라고 이야기했지만, 수연에게는 그 어떤 일보다도 자연스럽지 못했다. 가슴 아프다는 할머니를 병원에 데려갈 걸 후회가 남았다. 아직도 집에 들어가면 수연을 반갑게 맞아주는 할머니가 있을 것만 같았다. 수연은 할머니가 곁을 떠나고 한참을 집에 돌아가지 못하였다.

준이는 할머니를 보내주는 길에 내내 함께해주었다. 묵주를 들고 와서 수연의 오른손을 꼭 잡고 기도해 주었다. 혁민 씨도 함께했다. 준이의 왼쪽 손을 꼭 잡고 할머니의 발인까지 지켜봐 주었다. 수연은 힘겹게 텅 빈 집에 들어가서 할머니의 옷가지를 정리했다. 항상 푸르게 자라고 있던 대파가 갈색 빛으로 변해 추욱 쳐져 있었다. 수연이 대파를 잡자마자 줄기가 금세 바스러져 부러졌다. 뿌리째 버리기 위해 시도했지만, 겉이 부서지기만 할 뿐 잘 뽑히지 않았다. 수연은 몇 번이고 다시 대파를 쥐다가 한참을 주저앉아 있었다. 수연은 할머니의 옷가지와 유품들을 애써서 정리했다.

준이는 할머니가 돌아가신 후 빈자리를 채우기 위해 노력했다. 하루는 수연이 할머니와 먹었던 아바이순대 영상을 하염없이 보자 급한 약속이 생겼다며 나갔다. 수연은 할머니와의 추억을 되새기다가, 집으로 돌아온 준이의 초인종 벨에 추억 속에서 빠져나올 수 있었다. 활짝 문을 연 순간 고소한 냄새가 준이와 함께 들어왔다. 준이는 왕복

5시간을 운전해 속초 아바이 순대를 수연의 눈앞에 가져다 놓았다.

"강준 씨 어떻게 이런 생각을 했어요? 난 가끔 강준 씨를 우리 할머니가 보내준 것 같아요"

"오늘따라 유독 할머니 보고 싶어 하는 것 같아서. 내가 뭘 할 수 있을까 고민하다가 사 왔어. 이리와 얼른 먹자"

"혹시 대파 장아찌에 순대 먹어봤어요? 제가 우리 할머니 레시피로 만들어줄게요. 잠깐만요."

수연은 상기된 얼굴로 대파를 숭덩 잘라서 대파 장아찌를 담그기 시작했다.

"우리 할머니가 좋은 대파 고르는 방법을 알려주셨어요. 줄기가 끝까지 곧게 뻗어 있어야 하고, 뿌리를 만져 보았을 때 되돌아올 수 있는 탄성이 있는 파가 좋다고 했는데 오늘 대파 좋은 거다. 강준 씨."

수연은 할머니가 떠나고 처음으로 대파를 마주했다. 할머니의 대파 장아찌 레시피를 정확하게 알고 있진 못했다. 하지만 영상으로 남겨 놓은 덕분에 할머니의 모습을 보며 만들어 나갔다. 평소 매콤하게 먹는 것을 좋아하는 준이를 위해 청양고추를 추가로 썰어 넣었고, 살짝 버무려 준이의 입 속으로 넣었다. 준이는 오독오독 하얀 파를 씹으며 엄지손가락을 활짝 폈다. 어쩐지 수연은 할머니가 돌아온 기분이었다.

그날 저녁, 수연은 결심한 듯 준이에게 결혼 전제로 만나고 싶다고 했다. 준이는 잠시 침묵하며 생각하더니 지금 준비하고 있는 프로젝트 무사히 끝나면 좀 더 이야기해 보자고 말했다. 준이는 사업을 확장

하고 있었다. 지금으로부터 6개월 뒤인 2018년 여름에 모든 확장이 마무리되길 바라고 있다는 걸 수연도 역시 알고 있었다. 사업 확장이 진행되면서 준이는 지방으로 출장을 자주 가기 시작했다. 한번 가면 일주일은 기본으로 지역에 머무르다 오곤 했다.

자연스럽게 준이와 매주 함께 가던 주일예배는 수연 혼자 가게 되었다. 종교가 없었던 수연은 준이와 앞으로 함께하려면 같은 종교를 가지고 싶다는 생각이 들었고, 준이가 없는 주말에도 꾸준하게 교회에 나갔다. 교회에서 항상 눈인사하던 안내팀 혜진 씨가 수연에게 다가왔다.

"수연 씨 오늘은 혼자 왔네요?"

"안녕하세요. 네 강준 씨가 바빠서 요즘은 혼자 오게 되네요. 별일 없으시죠?"

"강준 씨랑 혁민 씨는 참 잘 지내는 거 같아요. 저도 그런 단짝 있었으면 좋겠어요. 혁민 씨 SNS 보니까 사이판에서 강준 씨랑 즐거워 보이던데 수연 씨는 바빠서 같이 못 가셨나 봐요."

"사이판 여행이요?"

"네. 마치 신혼여행지 같던데요? 어 잠깐만요. 그 자리는 비우고 앉으셔야 해요! 수연 씨 이따 또 이야기해요"

혜진 씨는 예배 시간이 되자 밀려들어 오는 사람들을 안내하러 떠났다. 수연은 강준이 혁민과 해외에 있다는 이야기에 고개를 갸우뚱했다. 의아해서 곧바로 강준에게 전화를 걸었다. '나 지금 미팅 중이야.'라는 메시지와 함께 전화는 돌려졌다. 예배가 끝난 뒤 강준에게 걸려 온 전화에서 지방이라는 것을 확인한 후 수연은 혜진 씨가 오해했다고 생각했다.

예배가 끝난 뒤 수연은 강준과 매주 하루 꼭 함께 가던 한강에도 혼자 다녀왔다. 혼자서 한강 라면도 먹고, 자전거를 열심히 타다가 잠시 벤치에서 쉬는 찰나, 요즘 준이가 옆에 없다는 생각에 문득 외로워졌다. '사업 때문에 바쁘니까 내가 이해해야지, 확장 건만 끝나면 준이랑 결혼할 수 있으니까' 혼잣말을 되뇌며 수연은 그날 밤 새벽녘에 겨우 잠들었다. 졸린 눈을 비비며 겨우 출근한 회사에서 수연은 청천벽력 같은 소식을 들었다. 회사 게시판에 신입 기상캐스터를 찾는다는 공고가 올라갔다는 것이었다. 수연에게는 어떤 통보도 이뤄지지 않았지만, 이 세계는 그게 자연스러운 것이었다. 새로운 얼굴이 필요하다는 생각 들 때 채용하고, 기존 기상캐스터는 새로 입사한 사람에게 인수인계하고 자리를 비워주어야 하는 일이 암묵적으로 이뤄졌다.

수연은 이제 어디로 가야 하나 걱정하면서 준이에게 전화를 걸었다. 준이는 받지 않았고 수연은 긴 문자를 쓰고 지우기를 반복하다가 메시지 한 줄을 강준에게 보냈다. '나 회사 그만두래' 문자를 읽자마자 강준에게 전화가 왔고 오랜만에 강준은 수연을 찾아왔다. 수연은 강준을 보자마자 십자가 모양 목걸이 부분만 하얗고, 주변이 붉어진 강준의 피부를 봤지만 피곤해서 일 거로 생각하고생각하고 시선을 거뒀다.

"강준 오빠. 지난번 내가 이야기한 거 말이야. 우리 결혼 이제 추진하는 거 어때? 새로운 직장 찾기 전에 오빠랑 식 올리고 가면 좋을 거 같아"

"……."

"강준 오빠?"

멈춘 듯 가만히 있던 준은 수연을 꼭 안으면서 '그래. 이제는 우리 식 준비해 보자. 우리 수연이 평소에 어떤 결혼 하고 싶었어?'라고 물었다. 수연은 그제야 안도의 숨을 내쉬며 준의 옆자리에 누웠다. 재잘재잘 밤늦게까지 준이와 결혼하면 이런 것을 꼭 할 거라는 다짐을 늘어놓았다. 이야기를 열심히 듣다가 잠든 준이를 바라보며, '이제 다시 안정이 찾아올거야.'라고 주문을 되뇌며 수연도 눈을 감았다. 다음 날 아침, 준이는 일찍 출근한 것 같았다.

수연은 '나 일어났어'라는 문자를 강준에게 남기고 일어나서 출근 준비를 했다. 할머니가 돌아가시고 수연의 가장 마지막 패턴은 유일하게 남은 할머니의 유품인 십자가 목걸이를 착용하는 것이었다. 그 날따라 고리가 잘 맞물리지 않아 손에 꼭 쥐고 출근했다.

준이는 바쁜 지 하루 종일 연락이 오지 않았다. 때마침 5월의 초여름 날씨가 시작되며 때 아닌 폭염특보에 수연도 하루 종일 바빴다. 오후 10시경, 수연은 무언가 이상함을 느꼈고, 연락이 오지 않는 준이에게 전화했지만 강준은 계속해서 받지 않았다.

그렇게 일주일이 지났다. 준이는 연락이 되지 않았고 수연은 불안한 마음으로 강준을 찾아가려고 했다. 수연은 그제야 자신이 강준의 집도 알지 못했고 사업장도 알지 못한다는 것을 깨달았다. 수연은 문득 예상하지 못한 시기 자연스럽게 떠난 할머니를 떠올렸다. 세차게 고개를 저으며 준에게 다시 연락했지만 닿지 않았다. 하염없이 강준의 연락만 기다리며 2주라는 시간이 훌쩍 지났다.

수연이 유일하게 알고 있는 강준의 정보는 전화번호와 SNS였다. 수연은 강준의 SNS를 유심하게 살펴보기 시작했다. 강준의 SNS엔 누군가의 시선이 항상 담겨 있었다. 2017년에는 수연의 시선으로 담긴 강준이 자주 올라왔다. 수연은 손가락으로 스크롤을 내리며 강준의 옛날 사진을 찾아보았다. 강준은 간간이 자신의 여행 기록과 사업 기록을 남겨왔다. 역시나 누군가의 시선 속에 강준이 있었다. 수연은 문득 수연 외의 시선을 따라가고 싶어졌다. 강준을 바라보던 사람과 지금 함께 있는 건 아닐까? 라는 생각도 들었다. 시선을 쫓아 장소 검색도 하고 비슷한 배경도 찾아보고 '강준'이라는 두 글자로 검색도 무수하게 많이 했다. 한 가지 확실한 것은 강준은 혁민과 오래전부터 많은 시간을 함께했다는 것이었다. 강준과 항상 함께 있는 사람은 혁민이였다. 그렇게 꼬박 하룻밤을 새운 수연은 이렇게 해서는 강준이 어디에 있는지 찾을 수 없을 거란 결론을 내렸다.

오전 5시 동이 트는 모습을 보며 수연은 힘없이 출근 준비를 시작했다. 셔츠를 입다가 부스럭 소리가 나서 뒤를 돌아보니 강준과 함께 키우려고 심어놓은 대파가 노랗게 시들어 있었다. 마치 수연 자신 같았다. 수연은 화가 치밀어 오름을 느끼며 쓰레기 봉지를 가져와 흙 그대로의 대파를 통째로 버렸다. 벌써 강준이 떠난 지 18일째 되는 날이었다. 체념한 듯 수연은 오늘도 강준에게 제발 연락 좀 해달라는 메시지를 남기고 출근했다.

"자 수연 씨. 30초 후에 날씨 큐 들어갑니다. 셋, 둘, 하나. 큐!"

"……."

스튜디오에는 3초가량의 침묵이 흘렀다. 수연은 멍하니 모니터 화면을 바라보다 피디와 작가의 다급한 손짓에 깜짝 놀라 반사적으로 예보를 시작했다.

"오늘은 어제보다 더 덥습니다. 체감온도는 서울 34도까지 올라가면서 야외활동 어렵겠습니다."

생방송이 끝나자마자 국장님의 호출이 들어왔고, 수연은 빠른 걸음으로 국장실 문을 두드렸다.

"뭐 하자는 거야? 한 번도 사고 낸 적 없었잖아. 새로운 기상캐스터 뽑는다고 시위하는 거야?"

"아닙니다. 죄송합니다. 잠시 다른 생각을 했던 모양입니다. 앞으로는 정신 차리고 집중하겠습니다. 정말 죄송합니다."

"다른 생각? 그게 말이나 돼? 생방송 하는 사람의 태도가 맞아? 내가 이번에 공고 안 냈으면 수연 씨 이런 모습 계속 봤을 거 아니야. 나도 괜히 미안했는데 이제 미안해하지 않아도 되겠구먼."

수연을 세워두고 국장은 한참을 이야기했다. 수연은 국장의 말이 귀에 들어오지 않았다. 어차피 신입사원이 들어오면 수연은 그만두어야 하는 상황이었다. 대체할 수 있는 사람이 곧 올 국장도 수연에게는 미련 없어 보였다. 문득 '대체'라는 단어가 머리에 스쳤다.

"대체?"

"뭐?"

"국장님 앞으로는 생방송 잘 해내겠습니다! 저 갑자기 급한 일이 생각나서 혹시 먼저 가봐도 괜찮을까요?"

황당해하는 국장의 얼굴을 뒤로 한 채 수연은 '대체'라는 단어를 되뇌며 집으로 달려갔다. 집 도착하자마자 노트북을 켜고 강준이 자주 주문하던 온라인 책 판매 사이트에 들어갔다. 강준이 수연에게 혁민에게 줄 책을 대신 주문해 달라고 했을 때가 떠올랐다. 아마도 주소가 있을 것으로 생각해 재빠르게 주문내역을 봤다. 역시나, 혁민의 주소가 나와 있었고 수연은 휴대전화로 주소를 찍고는 곧장 택시를 탔다.

"기사님 연진동으로 빨리 좀 가주세요. 부탁드리겠습니다."

수연은 두근거렸다. 설레는 마음이 아닌, 분노와 찾았다는 안도감이 상충하는 두근거림이었다. 한편으로는 걱정도 되었다. 갑자기 혁민을 찾아간다고 해서 강준의 소식을 들을 수 있을까? 내가 집으로 이렇게 찾아가도 괜찮은 걸까? 수만 가지 생각이 수연을 괴롭혔지만, 강준이 왜 연락이 닿지 않는지 왜 나를 떠날 준비를 하는 것인지에 대한 의구심이 더 컸다. 내비게이션이 가리킨 30분은 금세 지났다. 혁민의 집에 도착한 수연은 망설였다. 가만히 있기만 해도 더운 날씨에 땀이 주르르 흘렀다. 두 시간쯤을 혁민의 집 앞에 서있었던 수연은 용기 내서 초인종을 눌렀다.

"띵동 띵동."

"누구세요?"

혁민의 목소리였다. 수연이 자신을 그대로 밝혀야 하나 망설이던 찰나 문이 활짝 열렸다. 놀란 눈으로 자신을 쳐다보는 혁민을 바라보며 수연은 하염없이 울기만 했다.

"수연 씨? 여긴 어쩐 일이에요? 강준이랑 무슨 일 있어요?"

수연은 자초지종을 설명했지만, 혁민은 조금은 냉정하게 당사자가 아니라서 해줄 수 있는 이야기가 없다고 하며 그냥 없는 사람이라고 생각하고 잘 지냈으면 좋겠다는 말을 남겼다. 강준이와 연락이 닿냐는 수연의 질문에 혁민은 수연의 너머를 쳐다보며 한 달 전쯤 연락한 게 다라고 말했다. 수연은 혁민이 거짓말을 하고 있다고 생각했지만, 더 이상 할 수 있는 것이 없다는 걸 깨닫고 집으로 돌아왔다. 혁민은 뒤돌아가는 수연의 손에 '그만 울어요.'라는 말을 하며 손수건을 쥐어주었다.

집으로 돌아온 수연은 한참을 생각하다가 아무래도 혁민은 강준이 어디 있는지 알 거라는 생각에 강준의 SNS를 타고 혁민의 SNS를 들어갔다. 혁민은 디제잉이 취미였다. 주말마다 클럽에서 디제잉 하는 사진을 올렸고, 강준도 사진에 종종 올라왔다. 수연은 혁민을 한 번 더 만나보기로 결심했다.

수연은 이태원의 변두리에 작은 바에 도착했다. 쿵쾅쿵쾅. 낯선 풍경이었다. 수연은 오랜만에 마주하는 번쩍거리는 조명과 클럽 특유의 폐쇄감에 잠시 압도됐지만 이내 안으로 들어갔다. 새벽 2:00가 다 된 시간. 클럽은 한창이었다. 수연은 바에 들어가자마자 시선을 한 몸에 받았다. 당황할 정도로 많은 남자들이 수연만을 바라보았다. 수연은 이상한 시선을 느끼며 안으로 들어갔다. 수연이 20대 때 친구들과 함께 갔던 클럽과 같이 마치 연인과 같은 스킨쉽을 하는 사람들도 간간이 보였다. 바깥세상과 이질감을 느낄 때쯤 수연은 그제야 클럽을 둘러보며 자신만 여자라는 사실을 깨달았다.

그런 수연은 눈에 띌 수밖에 없었다. 혁민은 수연을 발견한 뒤 당황한 눈빛을 보였다. 이내 친구로 보이는 디제이에게 디제잉을 맡기고 수연에게로 왔다.

"여긴 어떻게 알고 왔어요?"

"혁민 씨한테 물어볼 게 있어서요. 그런데 여기 혹시 여자는 출입이 되지 않는 곳인가요?"

혁민은 아무 말 없이 수연의 손을 잡고 밖으로 나갔다. 나가는 내내 남자들의 시선을 한 몸에 받았다.

수연은 모든 것이 혼란스러웠다. 방금 보았던 그 풍경은 무엇이고, 남자들만 출입하는 곳이라면 강준 씨는 무슨 의도로 그 클럽에 갔던 것인지 알 수 없었다. 혁민은 아무 말 없이 수연을 한참 바라봤다. 저만치 수연을 두고 골목길 어귀에서 어디론가 전화를 걸었다. 혁민은 10분가량의 전화를 마치고 곤란한 표정으로 돌아왔다.

"혁민 씨는 알고 있죠? 강준 씨가 저 왜 떠났는지 알고 있는 거죠?"

"수연 씨. 집에 돌아가는 게 좋겠어요. 제가 해줄 수 있는 이야기가 없네요. 미안해요"

그날처럼 단호한 어조로 말하는 혁민의 말에 수연은 매달려도 봤지만, 혁민은 고개를 저으며 지나가던 택시에 수연을 태웠다. 수연은 그날부터 잠에 들지 못했다. SNS 프로필에서 눈에 띄던 두 사람의 사진, 항상 함께였던 그들, 스스럼없는 스킨쉽이 있던 클럽의 풍경까지 눈앞에서 아른거려 지울 수 없었다. 수연은 매일 혁민을 찾아갔다. 집에 없으면 클럽으로, 클럽에서 퇴근했다고 하면 집으로 가서 혁민에게 강준의 소식을 한참 묻다가 소득 없이 집으로 돌아왔다. 그가 떠난 지 21일째. 그날 아침엔 신입 기상캐스터가 출근했다. 수연은 일주일간의 인수인계가 끝나면 계약이 종료된다는 이야기를 회사로부터 통보받았다.

"올 한 해 제가 받을 수 있는 모든 통보를 다 받은 것 같네요. 그동안 감사했습니다."

회사에서 수연의 마지막 날이었다. 안쓰러운 시선을 한 몸에 받고, 양손에는 가득한 짐을 가지고 애써 담담하게 집으로 떠났다.

그날은 혁민에게 찾아갈 기력이 없었다. 문득 강준을 찾아 헤매느라 관리하지 않아 먼지가 쌓인 집을 발견했다. 수연은 몸을 일으켜 대청소를 시작했다. 미처 버리지 못했던 할머니의 물품들도 버리고, 수북하게 쌓여있던 먼지도 닦았다. 수연은 청소를 마치고 가득한 햇살이 내리쬐는 거실에 대자로 누워 숨을 몰아쉬었다. 문득 옆으로 돌아본 수연은 침대 밑에 떨어진 할머니의 십자가 목걸이를 발견했다. 손에 쥐고 다니다가 떨어진 모양이었다. 손을 뻗어 목걸이를 들어 올리자, 옆에 떨어져 있던 조그마한 봉투가 보였다. 편지였다. 수연은 살짝 떨리는 손으로 봉투를 펼쳤다.

수연에게.

수연아, 잠든 너를 바라보면서 나는 어디서부터 설명해야 할지 고민하며 펜을 들었어.

요즘 많이 힘들었지? 회사 일도 그렇고 할머니일도 네가 견디기 힘들었을 거라는 생각이 들어. 그래서 나까지 너를 힘들게 하고 싶지 않았어. 결혼하자는 네 이야기를 들었을 때 그때부터 지금까지 나는 하루도 편하게 잠들지 못했어. 정말 내가 수연이 너와 결혼할 수 있을까에 대한 고민으로 괴로웠거든. 그런데 말이야 '결혼'이라는 단어 덕분에 한 가지는 확실해진 것 같아.

수연아, 내가 꼭 결혼해야 한다면 난 20여 년을 함께해온 사람과 해야겠다는 결심이 들었어. 학창 시절 사춘기 아이들이 으레 겪는 일이라고, 잠시 지나가는 감정이라고 생각했는데 나는 나를 잘 몰랐나 봐. 항상 여자를 만나왔지만, 옆에는 혁민이가 있었지. 나는 그의 의미를 애써 외면해 왔던 것 같아. 이제는 마주해야 할 때가 왔나 봐. 어떻게 보면 수연이 너에게 참 고맙다고 전하고 싶어. 나에 대해서 처음으로 마주하게 해준 사람이 바로 너였으니까. 환하게 웃으며 대파 장아찌를 내 입에 넣어주는 네 모습을 보며 이제는 말해야겠다고 결심했어. 하지만 차마 너의 눈을 바라보면서 이야기할 수 없어서 이렇게 네가 언제 발견할지 모르는 곳에 작게나마 남겨놓고 떠나버리는 나를 용서해 줘.

나는 아이러니하게도 네가 이 편지를 발견하지 않았으면 좋겠어. 그냥 사라져버린 나쁜 놈으로 남았으면 좋겠어. 나에게 아낌없이 사랑을 준 너에게 조금이라도 상처를 덜 줄 수 있는 이기적인 방법을 찾다 보니 이런 방식이 되었네. 미안해. 그리고 고맙고 사랑해.

애써 외면하던 사실이 현실이 되었을 때 수연의 머릿속은 하얘졌다. 오히려 복잡하게 생각하지 않아도 되니 잠시나마 홀가분한 것도 같았다. 편지를 곱씹고 곱씹다가 수연은 자신도 모르게 잠들었다. 한 이틀 밤을 깨지 않고 꼬박 잤다. 크게 울리는 벨소리에 긴 잠에서 깨어난 수연은 여론조사라는 수화기 너머 이야기에 피식 웃으며 전화를 내려놓았다. 이틀이란 시간이 훌쩍 흘렀지만, 모든 것이 그대로였다. 그때 문득 수연은 대파 장아찌를 먹고 싶었다. 언제나 푸르고 싱싱하게 자라던 대파 화분은 비어있었다. 수연은 몸을 일으켜 근처 마트에 갔다. 모든 식재료를 지나쳐 대파 앞에 섰다. 할머니가 항상 강조하던 좋은 파를 눈으로 골랐다.

"줄기가 끝까지 곧게 뻗어 있어야 하고, 뿌리를 만져 보았을 때 되돌아올 수 있는 탄성이 있는 것. 돌아올 수 있는 탄성이 있는 것……."

수연은 할머니의 말을 혼자서 중얼거렸다. 할머니의 영상을 보며 대파 장아찌를 담갔다. 아직도 레시피를 다 외우지 못해 할머니의 영상을 보고 또 보았다. 한 시간가량 수연은 아무 생각 없이 대파 장아찌를 버무렸고 오랜만에 작은 성취감도 느꼈다. 아삭하고 새콤한 대파 장아찌와 흰 쌀밥을 한가득 입에 넣으며 수연은 오랜만에 할머니와의 추억을 여행했다. 돌아올 순 없지만 머무를 수 있는 기억이 있어서 다행이었다. 밥상을 치운 수연은 항상 할머니가 그래왔듯 대파 뿌리를 화분에 심었다. 두 달 뒤 또다시 자라면 또 대파 장아찌를 해 먹기 위해서였다. 대파는 금세 자랐다. 수연은 항상 같은 곳에 앉아 뿌리를 내리고 하루하루 자라나는 대파를 바라보았다. 그러면서 할머니와 함께 찍은 영상을 보고 또 보았다. 할머니가 아플 때 병원에 데려가지 못했던 것을 자책했던 수연은 문득 '그래. 아플 땐 병원에 가야지.' 혼잣말을 했다. 그리고 바로 전화번호를 검색했다.

"저기, 당일 예약도 가능한가요?"

"원래는 미리 날 잡으셔야 해요. 그런데 마침 오늘 예약 취소 건이 있어서 오후 3시 가능한데 방문할 수 있으세요?"

"네. 가능합니다."

오랜만에 수연은 외출 채비를 했다. 마지막으로 할머니의 십자가 목걸이를 하고 집을 나섰다. 여전히 무더운 여름이었다. 가만히 있기만 해도 땀이 흐르는 날씨였지만, 오랜만에 마시는 바깥 공기에 수연은 살짝 상기되었다. 목적지에 도착한 수연은 결심한 듯 문을 크게 열었다.

"이수연 씨? 안녕하세요. 처음 뵙네요."

"안녕하세요."

수연은 살짝 머뭇거리며 의자에 앉았다. 그 모습을 본 선생님은 다정하게 웃으며 수연을 바라보았다.

"이 상담실에서 일어나는 모든 대화는 비밀에 부쳐져요. 걱정하지 말고 편하게 하고 싶은 이야기 해주세요. 무슨 일이 있었나요? 아! 오는 길은 어렵지 않았죠?"

"네, 괜찮았어요.……. 음 선생님. 혹시 대파 장아찌 드셔보셨어요?"

"대파 장아찌라니 특이하네요?"

"네 우리 할머니 레시피예요. 2017년 여름, 그 사람이랑 대파 장아찌를 처음 만들어봤어요"

# 미지근한 남자

윤종원

윤종원      1998년 서울에서 태어났다. 그 조그만 서울 속에서 이사를 많이도 다녔다. 자의와는 상관없는 맺고 끊음에 익숙해져 버린 아이. 관계란 잠시 거쳐 가는 여행지 같았다. 존재하는지도 모를 정착지에 환상이 생기기도 했지만, 산책 중에 만난 벤치에도 감사함을 느끼려고 노력 중이다.

그날의 나는 열병을 앓고 있던 것이 분명했다.

"우진아, 미안해….”

5월 초여름, 생각보다 빨리 온 더위에 비까지 최악의 날씨였다. 쏟아지는 빗속에서 나는 점점 더 뜨거워지고 있었다. 그런 나를 뒤로하고 그녀는 점점 멀어졌다. 나는 한동안 그녀의 집 앞에서 비를 맞고 서 있었다. 끓어오른 열을 식히며 한참 동안.

"앗 뜨거워!”

멍때리며 라면을 끓이다가 손을 데고 말았다. 짧은 비명이 사라지자, 집은 다시 조용해졌다. 다 끓인 라면을 쓰다 만 공책 위에 올려놓았다. 공책에는 방향을 잡지 못한 글들이 적혀있었다. 오늘 처음으로 먹는 음식이었지만 먹는 둥 마는 둥 하며 휴대전화를 만지작거렸다.

핸드폰 메신저가 내가 생일인 것을 알려주고 있었지만, 누구에게도 축하 메시지는 오지 않았다. 어쩌면 당연한 일이었다. 지난 2년 동안 누구와도 교류한 적이 없었기 때문이다.

어느 순간부터 사람에 대한 믿음에 금이 가기 시작했다. 마음을 다하면 통하리라 생각했던 사람들과 멀어졌다. 사람들은 생각보다 작은 이유로 멀어졌다. 작은 오해나 이기에서 시작된 마찰은 어느새 내 몸을 상처 내고 있었고, 조그마한 충격도 그 상처들을 충분히 파고들 수 있게 되었다. 이해는 되었다. 각자의 생존을 위해 사람은 이기적일 수밖에 없다고 생각한다. 아주 사소한 것으로도, 그것이 아무런 이유 없는 '귀찮음'일지라도. 이해는 되었지만, 받아들일 생각은 없었다. 나는 이런 사람들에게 지쳤고 그 자리를 벗어나기로 했다.

우진은 만지작거리던 핸드폰을 내려놓았다. 대신 식탁 한쪽에 있던 종이를 집어 들어 침대로 향했다.

'근무 규칙'

'그 누구에게도 발설하지 말 것.'

'근무 중에는 최대한 사람과 접촉하지 말 것.'

'음주는 되도록 피할 것.'

'(중략)'

'프로젝트에 관한 내용을 기록하지 말 것.'

평범해 보이지 않는 수칙들이 빼곡하게 적혀있었다. 며칠 전 산책 중에 갑자기 다가와 새로운 프로젝트의 피실험자가 필요하다는 남자의 말에 덜컥 일하기로 한 회사의 근무 규칙이었다.

'아직 사람에게 덜 데었나 보다….'

이상하면 바로 도망치자고 생각하며 간 주소의 건물을 보고 솔직히 조금은 놀랐다. 이름을 대면 누구나 알만한 대기업이었기 때문이다. 사무실도 생각보다 멀끔했다. 사원 한 분의 안내를 받아 일하고 있는 사람들을 지나 조금 더 들어가자 따로 분리된 방 하나가 나왔다. 사원이 문을 두드리자 들어와도 좋다는 목소리가 들렸다. 방에 들어선 나는 면접 보러 왔다는 사실을 잊고 방을 훑어보게 되었다. 넓은 공간에 통유리로 4월 끝 봄의 햇살이 따스하게 비추고 있었다. 이런 공간이라면 일할 맛 나겠다 싶었다. 방에는 책상이 하나 있었는데 산책 중 나에게 말을 건 남자가 앉아 있었다. 30대 중반 정도로 보이는 그는 자신을 이 팀장이라고 소개하며 특유의 여유로움과 정중함이 묻어나는 말투로 책상 건너편 의자에 앉으라고 했다. 면접이 시작되자 사소한 질문을 시작으로 이런저런 대화를 나누었다. 대부분 과거와 현재 내가 어떻게 살아왔는지에 대한 것들이었다. 다정한 말투에 면접보다는 상담하러 온 기분이 들었다. 그렇게 대화를 나누던 이 팀장은 조금은 진지해진 표정으로 질문을 던졌다.

"오늘 당신이 본 세상은 어땠습니까?"

예상치 못한 질문이었다. 평소에 생각해 본 적 없는.

'오늘 본 세상…?'

오랜만에 집 주변을 벗어나기 위해 탄 지하철. 사무실에서 열심히 일하며 오늘 하루를 성실하게 살아가고 있는 사람들. 2년 동안 집에 틀어박혀 보지 않았던 세상이었다. 오랜만에 생산적인 활동을 하는 내가 본 세상의 색이 어제보다 조금 더 선명해진 것 같기도 했다. 질문의 답을 하기 위해 고민하던 나에게 이 팀장은 계약서를 내밀었다. 얼굴에 연한 미소가 담겨 있는 것을 보니 답은 크게 중요하지 않았던 것 같다. 계약서를 작성하며 마지막 남은 의심으로 꼼꼼히 읽어 보았다. 생각 외로 간단하고 이상한 내용은 없었다. 계약서를 작성하며 일에 대한 자세한 설명도 들었다. 사람들을 상대하지 않아도 되기도 했고 보수도 좋았다. 한 달 동안의 기억을 가져간다는 것이 조금은 걸렸지만, 집에만 틀어박혀 누구도 만나지 않은 지 2년이 넘어가는 나에게는 큰 고려 사항이 아니었다.

침대에 누워 종이에 수칙을 읽어 나가고 있는데 갑자기 핸드폰이 울리기 시작했다. 모르는 번호. 대출이나 보이스피싱이 아닌가 싶었지만, 왜인지 나도 모르게 통화 버튼을 눌렀다.

"여보세요?"

수화기에서 어딘가 익숙한 목소리가 흘러나왔다. 조금은 성숙해졌지만, 나는 그 목소리가 누구인지 단박에 알아차릴 수 있었다. 침대에 편하게 늘어져 있던 나는 어느새 무릎을 꿇고 안절부절못하고 있었다.

"우진아 나 아은이야. 집에 가는데 갑자기 네가 생각이 나서 전화했어. 잘 지내지?"

"어어⋯. 잘 지내지. 오랜만이네. 전화해 줘서 고마워."

얼떨결에 약속까지 잡아버렸지만, 그 후로 무슨 말을 했는지 잘 기억나질 않는다. 터질 것 같은 심장을 잘 부여잡고 아무렇지 않은 듯 대답하는 게 최선이었다.

아은은 우진의 중학교 동창이다. 어렸을 적 전학을 많이 다닌 우진은 그녀를 처음 본 그날도 전학생 신분이었다. 새 학기가 시작되고 얼마 안 된 시기의 전학생. 어딜 가든 텃세가 있기 마련. 교실로 향하기 전 교무실에서는 사고를 쳐서 전학을 온 것 아니냐는 장난 반 진심 반의 질문이 우진에게 날라왔다.

담임 선생님의 손에 이끌려 교탁에 섰다. 선생님은 나에 대해 간단한 소개를 시작하셨다. 아직 이른 봄의 공기가 차가워서인지 몸이 얼어붙었다. 호기심과 텃세가 반반 섞인 얼굴들. 그 속에서 그녀는 환하게 웃는 얼굴로 나를 쳐다보고 있었다. 땡그란 눈으로 분명 웃고 있었을 것이다. 사실 그때의 기억이 선명하지는 않다. 그래서 '그녀에게 첫눈에 반했다.'와 같은 극적인 소개는 하지 못할 것 같다. 그녀는 그렇다기보다는 어느샌가 내 마음에 들어와 있는 사람이었다.

그녀는 좋은 의미로 수수했다. 키는 평균에 아름다운 외모를 하고 있었지만, 그녀는 그걸 넘어서는 자연스러움을 가지고 있었다. 순수하고 자신의 감정을 드러내는 것에 두려움이 없었다. 그 자연스럽게 웃으며 어느새 조용히, 원래 그곳에 있던 사람처럼 나의 세상에 들어와 있었다. 세상에서 가장 자연스러운 웃음이 나에게로 들어오는 통행권 같은 거였다.

아마 그녀는 본인이 나의 첫사랑이자 동경의 대상이 되는 동안 내 마음의 변화를 알아채지 못했을 것이다. 그녀가 다가올 때마다 최대한 아무렇지 않은 척을 했으니 말이다. 아무래도 그 연기가 자연스러웠던 모양이다. 내 생각이 나서 전화했다니. 내 마음을 아는 사람이었다면 그렇게 말하며 오랜만에 전화를 할 수 없었을 것이다. 잠이 오질 않았다.

아은을 만나는 날은 생각보다 빠르게 다가왔다. 아침 일찍부터 일어나서 할당량을 채우기 위해서 바삐 움직였다. 오늘은 동네에 있는 공원을 둘러보아야 했다. 강아지와 산책하는 사람들. 주말이라 아이와 함께 나들이를 나온 부모. 오늘따라 더 행복해 보이는 그들에게 눈이 갔다. 나도 모르는 사이에 입가에 웃음이 살짝 돌았다.

2년 만에 누군가를 만나는 것에 조금 들떴나 보다. 평소보다 빠르게 일을 마치고 아은을 만날 준비를 시작했다. 무슨 옷을 입을지 신중에 신중을 기하고 있는 모습을 보니 조금은 어이가 없었다. 너무 신중했던 탓인가? 분명 일찍 준비를 시작했는데 어느새 나가야 할 시간이 다가왔다. 신발을 꾸겨 신으며 헐레벌떡 집을 나섰다.

약속 장소에 가까워질수록 심장박동수가 점점 올라갔다. 과장을 조금 보태자면 숨쉬기가 힘들어질 정도였다. 가는 동안에도 문자를 주고받고 있었지만, 직접 대면해서 말할 생각을 하니 머리가 하얘졌다. 그렇게 약속 장소에 다다르자, 마음의 준비를 할 새도 없이 아은의 모습이 보였다. 그 장소에 혼자 서있는 것처럼 단번에 그녀가 보였다. 그녀 쪽으로 걸어가자, 그녀는 나를 발견하고 먼저 손 인사를 건넸다. 막상 그녀를 대면하자 나는 아무렇지 않은 듯 인사를 할 수 있었다. 아무렇지 않은 척을 한 건지도 모르겠다. 아니 아무렇지 않을 척을 한 것이 분명했다. 인사를 하며 그녀의 얼굴을 똑바로 바라보는데 온 힘을 다해야 할 정도였다. 온 힘을 다해 바라본 그녀는 웃고 있었다. 나의 기억 속 그녀보다 성숙해지긴 했지만 나를 녹이는 그 웃음만큼은 그대로였다.

우리는 먼저 간단히 밥을 먹기로 했다. 무엇을 먹어야 할지 고민하던 나에게 그녀는 근처 음식점에 가자고 했다. 사실 아은을 만나기 전 무엇을 먹을지 열심히 찾아본 나였지만 마땅한 곳을 찾지 못한 나는 속으로 안도의 한숨을 내쉬었다. 꼭 내가 음식점을 찾아야 하는 것은 아니었지만 그런 노력을 감수하고 싶은 나였다. 그러지 못한 것에 아쉬워 살짝 이 이야기를 꺼내자 오히려 음식점을 찾아보려 한 나의 노력을 칭찬해 주는 아은이었다.

근처의 음식점은 고깃집이었다. 오랜만에 만난 첫사랑과 고깃집이 맞나 싶었지만. 오히려 그런 편안한 분위기가 나와 아은의 사이를 예전처럼 친한 친구로 돌려놓는 데 도움을 주었다. 고기를 구워 먹으며 서로의 근황을 이야기하자 나의 긴장은 거의 다 풀어졌다. 우리의 대화는 어느새 과거와 현재를 지나 미래를 바라보고 있었다.

"하고 싶은 일은 있어?"

아은의 질문을 들은 나는 한가지 대답이 떠오르긴 했지만, 선뜻 대답하지는 못했다.

"요즘 글 쓰는데 관심이 생기긴 했는데…. 막 열심히 쓰는 건 아니고 그냥…."

우물쭈물하는 나의 말에 그녀는 내가 생각지 못한 반응으로 답했다.

"진짜? 나도 글 쓰는 거 좋아해!"

막연하게 써보고 싶다는 생각만 했던 글에 관심이 있다고 말해도 될지 걱정했던 나에게 아은의 대답은 자신감을 불어넣어 줬다. 그걸 넘어서서 글을 잘 쓰고 싶어졌다.

밥을 다 먹은 후 우리는 자리를 옮겨 술을 마셨다. 밝은 조명에 싸구려 합판으로 실내장식을 한 술집. 사람 많고 시끄러운 곳을 싫어하지만 지금, 이 순간만큼은 온전히 그녀에게 집중해서였을까. 나에게는 조금 다른 장면으로 기억될 것 같았다. 은은한 조명에 따듯한 원목으로 잘 꾸며진 조용한 술집. 사소한 이야기를 나누었지만 웃음이 났고 오늘의 다른 것들을 다 잊는다 해도 그 웃음만큼은 오래 기억될 것 같았다.

집으로 돌아와 아은에게 잘 들어갔냐는 연락을 하고 잘 준비를 마쳤다. 침대에 누워 자려는데 오늘의 하루가 머릿속을 맴돌아 잠이 오질 않았다. 그렇게 강렬한 하루의 기억 속에서 허우적거리고 있는데 술자리에서 아은이 한 말이 떠올랐다.

"일기 같은 걸 써보는 건 어때?"

글 쓰는 것에 대한 막연함을 가지고 있던 나에게 사소한 것부터 시작해 보는 것이 어떻겠냐며 말해준 해결책이었다. 침대에서 일어나 책장을 뒤적거렸다. 쓸만한 공책이 없어 고민하던 찰나에 라면 받침대로 전락한 공책이 생각났다. 공책을 챙겨 어두운 방 안 책상에 켜진 스탠드 불빛에 앉았다. 새벽 1시 조용한 밤공기가 창문을 통해 들어오고 있었다. 약간은 쌀쌀한 공기였지만 너무나도 편안했다. 마치 이 우주에 나 혼자만 남은 것 같은 기분이 들었다. 조용히 공책을 펼쳤다. 시작은 했지만, 갈피를 잡지 못해 앞으로 나아가지 못한 글들이 낙서처럼 적혀있는 공책이었다. 그런 페이지들을 넘겨 아무것도 적혀있지 않은 흰색 면을 펼쳤다. 짧은 심호흡을 한 뒤 여백에 강렬했던 오늘의 장면을 천천히 적어나가기 시작했다. 조금 전에 있었던 특별한 일을 적는데도 쉽지 않았다. 쉽지 않았지만, 막상 적기 시작하니 어느새 속도가 붙어 오늘 하루의 끝을 향해 달려가고 있었다. 손에는 글의 방향에 대한 고민보다는 나의 진심이 채워져 움직이고 있었다.

그날 이후로 나는 매일 일기를 쓰는 습관이 생겼다. 산책하다 본 치즈색 고양이의 일광욕, 길을 걷다 맡은 아카시아꽃 향기, 미루다 미루다 오랜만에 민 수염. 일상의 한 귀퉁이를 채워주는 사소한 것들도 내 일기의 내용이 되었다. 분명 과거에도 내 일상에 존재하던 것들이었지만 다르게 보이고 다르게 느껴졌다. 아은을 만나면 만날수록 사소한 것이 특별해졌다. 집에만 틀어박혀 아무도 만나지 않던 내가 누군가를 만나는 날을 기다리게 되었다. 그날이 있기 전까지는.

평범한 하루의 시작이었다. 새로 시작한 일은 매주 검사를 진행했다. 일을 하며 어려운 것은 없는지. 잘 진행되고 있는지 면담하고, 프로젝트 특성상 해야 한다며 뇌에 이상은 없는지 점검했다. 그날도 검사를 위해 회사로 가고 있었다. 지하철을 기다리며 바로 앞 커플의 풋풋한 모습에 나도 모르게 흐뭇한 웃음이 나고 있던 와중 핸드폰에 문자 하나가 왔다.

'나 남자 친구 생겼다!'

뜬금없는 문자 내용에 나의 사고가 잠시 멈췄다. 뇌는 조금이 지나서야 상황에 맞는 감정을 꺼내기 위해 노력하는 듯 보였다. 그러나 결국 답을 찾지 못했는지 공허한 웃음만 짧게 내보냈다.

문자의 답을 보내는 데에는 시간이 조금 필요했다. 별 의미 없이 보냈을 문자에 어떠한 의미가 담겨 있는지 혼자서 곱씹어봐야 했다. 결국 나는 내가 할 수 있는 최선의 답을 했다.

'진짜? 잘됐네.'

아무렇지 않은 척 문자를 보내면서도 어떠한 감상도 더하지 않은 무미건조한 대답. 아은과 나의 관계가 무너지지 않을 선에서 내가 할 수 있는 최선의 대답이었다. 답장을 보낸 뒤 핸드폰을 주머니에 넣었다. 조금 전까지 기다려지던 아은의 답장이 보고 싶지 않아졌다. 아은이 그를 어떻게 만났는지. 그의 어떤 점이 좋아 그와 만나게 되었는지. 고백은 누가 했는지. 어떠한 이야기를 풀어놓을지는 몰라도 듣고 싶지 않았다. 회사에 가 검사를 하고 집에 돌아오는 동안 무음 상태로 주머니에 찔러 넣어놓았다. 노래를 듣기 위해서 잠깐 꺼내는 동안에 그녀의 답이 왔을까 긴장하기도 했지만, 답은 오지 않았다. 그녀의 답은 다음 날에서야 돌아왔다. 할당량을 채우기 위해 동네 주변을 걷는데 문자가 왔다.

'나 헤어졌어….'

이번에도 알맞은 감정을 찾기는 어려웠다. 확실한 건 좋은 감정은
아니었다. 남자 친구가 없어져 다행이라는 생각은 들지 않았다. 오히
려 아무렇지도 않게 이런 이야기를 하는 아은과 그런 그녀의 이야기
에 나의 하루하루가 오르락내리락하는 것이. 그런데도 내가 할 수 있
는 것이 아무것도 없다는 것이 나를 비참하게 만들었다.

집으로 돌아와 답을 보냈다. 씁쓸한 마음이 담긴 위로를 보내며 친
한 친구의 고민 상담을 들어주는 역할을 잘 해내려 노력했다. 그녀가
너무 어려서 이별을 고했다는 두루뭉술한 설명 말고는 별 이야기가
없어 고민 상담이라기보다는 정보 전달의 성격이 강한 듯한 이야기
였지만 말이다. 창밖에는 해가 지고 있었다. 한동안 따뜻하기만 했던
노을의 모습이 어딘가 애틋해 보였다. 지는 해와 함께 내 마음도 접기
로 마음먹었다. 높은 빌딩들에 가려져 보이지 않는 지평선. 지고 있는
해의 진짜 마지막 모습을 볼 수는 없겠지만, 굳이 그것을 보려 평야로
떠나지 않기로 했다. 그렇게 잠이 들었다.

그저 그런 날들이 계속되었다. 해가 뜨고 해가 졌다. 할당량을 채
우려 억지로 나간 산책들도 별 감흥이 없었다. 여전히 아은과 연락을
주고받았지만, 전과 같은 감정은 들지 않았다. 애매하게 끓다 만 심장
은 제 기능을 할 수 없었다. 이대로 식는다고 해도 나아질 것 같지 않

았다. 결국 나는 지평선을 보기로 마음먹었다.

마음을 먹은 뒤 나는 제정신이었으면 하지 않았을 행동들을 했다. 받는 사람의 입장은 생각하지 않고 내 마음을 가감 없이 표현했다. 혹시나 아은이 내 마음을 알게 되면 나를 조금은 다르게 보지 않을까 하는 약간의 희망을 품었다. 아니면 차라리 이런 내가 불편해져 나를 떠났으면 했다.

나의 이기적인 행동이 계속되자 결국 성과를 내기 시작했다. 아은은 나를 점점 피하기 시작했다. 먼저 만나자고 연락하던 아은은 내가 만나자고 해도 이런저런 핑계를 대며 거절했다. 아은이 나를 불편해할수록 나는 점점 더 뻔뻔해지고 있었다. 심장에 더 불을 질러 녹아내릴 때까지, 녹아내린 심장을 틀에 부어 다시 굳힐 때까지 나는 그럴 수밖에 없었다.

그렇게 아은과 나 모두에게 상처입히던 나는 심장이 완전히 녹았음을 느꼈다. 액체 상태의 철처럼 꿀렁거리며 간신히 뛰고 있었다. 창밖에는 추적추적 비가 내리고 있었다. 아은에게 전화를 걸었다. 몇 번의 통화 연결음이 지나고 전화를 받았다.

"여보세요."

나와의 만남을 피하던 아은은 생각보다 차분하게 전화를 받았다. 간단한 인사를 건넨 뒤 하려던 말을 꺼냈다.

"할 말이 있어서 그런데 혹시 오늘 만날 수 있을까?"

"어…. 오늘 친구랑 약속이 있어서 안 될 것 같아. 친구가 해외로 나가게 됐는데 이제 보기 힘들 것 같아서 오늘 마지막으로 보기로 했거든."

타당한 거절 사유였다. 사실 타당한 이유가 없다고 해도 내가 할 말이 있는 건 아니었다. 아은의 자유니까. 하지만 이미 끝을 보겠다고 마음을 먹은 나는 아은의 친구처럼 오늘이 마지막으로 그녀를 볼 수 있는 날이라고 생각이 들었다.

"잠깐이라도 괜찮아. 내가 너희 집 앞으로 갈게."

아은은 끈질기게 달라붙는 나를 더 이상 떨어뜨릴 수 없다고 생각됐는지 알겠다고 했다.

5월 초여름, 생각보다 빨리 온 더위에 비까지 최악의 날씨였다. 우산을 쓰고 아은의 집으로 향했다. 집 앞에 도착해 연락하자 기다리고 있었는지 금방 나오는 아은이었다. 인사를 하고 우물쭈물하는 나를 보다가 답답했는지 아은이 먼저 입을 열었다.

"할 말이 뭐야? 나 바로 친구 만나러 바로 가야 해서….."

끝을 보겠다는 마음을 먹고 왔지만, 입이 쉽게 떨어지지 않았다. 이렇게 엉망으로 고백하려고 품었던 마음이 아니었다. 하지만 해야 했다. 비록 내 마음의 응어리를 쏟아내듯이 하는 일방적인 고백이라도 나는 할 수밖에 없었다. 그래야만 끝을 낼 수 있을 것 같았다. 간신히 입을 열었다. 한번 시작하자 7년 동안 쌓였던 모든 것들이 쏟아지기 시작했다.

아은은 조용히 내 이야기를 모두 들어주었다. 처음에는 울분을 토하듯 말하는 나에게 조금 놀란 듯했으나 이내 차분히 이야기를 들어주었다. 내 이야기가 끝나자, 아은은 잠시 생각에 잠긴 듯했다. 영겁과 같던 찰나의 시간이 지나고 아은이 말했다.

"우진아, 미안해….."

아은은 미안하다는 말 이후에 자신의 감정을 솔직하게 우진에게 말해주었지만, 점점 심해지는 빗줄기에 잘 들리지 않았다. 쏟아지는 빗속에서 우진은 점점 더 뜨거워지고 있었다. 그런 우진을 뒤로하고 아은은 점점 멀어졌다. 우진의 마음을 우진이 어찌할 수 없었듯이 아은도 본인의 마음을 어찌할 수는 없는 것이었다. 멀어지는 아은의 발걸음에는 여러 안타까움이 묻어 나왔다. 그러나 멈추지는 않았다. 우진의 마음이 결심이 서는 동안 아은도 그녀 나름의 생각 정리가 된 모양이었다. 우진은 한동안 그녀의 집 앞에서 비를 맞고 서 있었다. 끓어오른 열을 식히며 한참 동안.

"에취!"

며칠째 앓던 감기가 거의 다 나았다. 내리던 비도 그쳐 맑은 하늘에 햇빛이 쏟아졌다. 감기가 심해 미뤄뒀던 할당량을 채우기에 최적의 날씨였다. 열심히 걷다 보니 어느새 마지막 코스인 동네 주변 공원에 도착했다. 매일매일 둘러보아야 하는 장소가 달랐지만 결국 마지막에는 이 공원으로 끝나는 코스였다. 5월 평일 낮 해가 최고 높이에서 내려오고 있는 시간. 한적한 공원에 따스한 햇볕과 시원한 바람이 불고 있었다. 우진은 벤치에 앉아 풍경을 바라보다 조그마한 가방에서 공책을 꺼냈다. 아은의 충격적인 문자를 받고 쓰지 않던 일기를 다시 쓰기 시작했다. 그날 이후의 일은 굳이 따지자면 좋은 기억은 아니었다. 하지만 우진은 기억을 더듬어 사소한 것 하나하나까지 빼먹지 않으려 노력했다. 아은이 자신에게 주었던 모든 것들에 감사해하기로 했기 때문이다. 우진을 집 밖으로 꺼내 주었고, 새로운 꿈을 가지게 해주었으며, 평생 잊지 못할 감정을 느끼게 해주었다. 아은과 다시 만나게 될진 모르지만, 만약 만나게 된다면 고마웠다고 말해주고 싶었다.

프로젝트의 마지막 날. 우진은 오랜만에 회사로 향했다. 처음 회사에 간 날처럼 한 사원의 안내를 받아 이 팀장의 방으로 들어갔다. 이 팀장은 여전히 부드러운 말투로 우진을 맞이했다.

"오랜만이네요. 우진 씨. 앉아서 이야기하시죠."

의자에 앉으며 사무실을 한번 둘러보는 우진. 그때 그 모습 그대로 넓은 공간에 통유리로 햇살이 따스하게 비추고 있었다. 하지만 그때처럼 철없이 호기심 어린 눈빛을 하고 둘러보지는 않는 우진이었다. 그동안의 안부를 간단히 묻고 이 팀장이 우진에게 종이 한 장을 건넸다.

"저번에 쓴 계약서를 모르고 부하 직원이 파쇄해서 다시 작성해야 할 것 같아요. 죄송합니다."

"아 괜찮습니다."

우진은 계약서에 다시 사인을 했다.

"이제 한 달 동안의 기억을 가져가는 시술을 하게 될 겁니다. 그다음에는 이번 프로젝트 대신 평범하게 일한 기억을 심게 되죠."

"프로젝트 이외의 기억은 남는 건가요?"

"한 달 동안의 기억을 통째로 가져가는 거라 프로젝트 이외의 기억도 사라지게 됩니다."

"아 그렇군요…."

"잊으면 안 되는 기억이라도 생겼나요?"

질문을 하며 이 팀장은 옅은 미소를 띠었다.

"계약서에 근무 규칙은 다시 잘 읽어 보셨죠? 그 규칙들만 지킨다면 큰 문제 없을 겁니다."

우진은 이 팀장의 말에 근무 규칙을 다시 읽어 나갔다.

'근무 규칙'

'그 누구에게도 발설하지 말 것.'

'근무 중에는 최대한 사람과 접촉하지 말 것.'

'음주는 되도록 피할 것.'

'(중략)'

크게 다를 게 없어 보였지만 마지막 규칙 하나가 빠져있었다.

'프로젝트에 관한 내용을 기록하지 말 것.'

"혹시 계약서에 문제가 있나요? 저희 부하 직원이 실수를 하도 많이 해서 가끔 계약서 내용을 빼먹거나 하더라고요. 제가 보기에는 문제가 없는 것 같았는데 어떤가요?"

우진은 이 팀장의 미소가 어떤 의미인지 알아차렸다. 그 순간 자상해 보이기만 했던 이 팀장이 어딘가 능글맞아 보이기 시작했다.

"없는 것 같네요⋯."

"그럼 없는 거로 알고 진행하겠습니다. 이쪽으로 오시죠."

우진은 이 팀장을 따라 시술실로 갔다. 이 팀장이 무슨 생각으로 나

의 행동을 눈감아 주는지. 또 어떻게 내 일기장에 대해 알았는지 소름
이 끼쳤지만 이내 의구심을 거두고 한가지 기억에 집중하기로 했다.

# 제주로운 해고일지

김체리

**김체리**     웃음도 팔아보고 신발도 팔아보고 헬스장 이용권도 팔아보고 빵도 팔
아보고 커피도 팔아보고 이젠 책까지 팔아보는 팝핑캔디 같은 삶을 살
아간다. 모두가 무사 안녕한 삶을 살기 바라며 좋아하는 노래는 밤양갱
이다.

instagram : @cherrycherryqueen

몰아치는 파도가 날 강한 압력으로 휘감는다.

늘 나에게 제주는 온화한 바람과 아름다운 풍경으로 웃음 짓게 했는데

그날 나에게 제주는 날카로운 칼바람과 잿빛의 풍경들만 가득했다.


그렇게 원하고 간절했는데 이렇게 돼버리는 건 한순간이었다. 이상한 정적이 흐르는 사무실 해가 중천인 오후지만 어둠이 낮게 깔려있었다.

"너무 나쁘게 생각하지 마! 들어오는 사람이 있으면 나가는 사람도 있어야지. 너희들의 능력을 키워서 다시 들어오면 돼 "

예쁘게 잘 포장된 말이지 그냥 짤렸단 소리였다. 동공 지진과 함께 내 머릿속에 대략 8.5 정도의 지진이 일어나 대재난을 방불케했다. 저게 지금 무슨 소리일까. 미리 눈치라도 주지 그런 것도 모르고 끝까지 열심히 한 난 멍청인 깊은 분노가 치밀어 올랐다. 굉장히 담담하게 이야기하시네. 쌍. 입장바꿔 생각해보면 이렇게 말할 수 있을까. 에

이,,,이건아니지 썅. 당연히 윗사람에게 할 수 없는 말들만 떠올랐다. 그저 입을 꾹 다문 채 달팽이관에 밀려들어 오는 영양가 없는 잔인한 말들을 듣고만 있었다. 그렇게 아무 말도 안 하고 듣고 있었는데 뭐랄까 할 말이 없었다기보다 그저 말문이 막혔다.

그렇게 그날, 한순간에 난 꿈도 일도 잃었다. 엘리베이터를 타고 함께 짤려버린 동료들과 건물을 나왔다. 정적을 깨고 동료가 나한테 말을 걸었다.

'너 뭐 오늘 계획 있어?"

"아니, 이렇게 될 줄 알았나 뭐! 하는 거 없는데?"

"짬뽕에 소주나 먹자"

거지 같은 상황인 와중에 함께 소주를 먹을 사람이 그 순간 있다는 것이 참 다행이었다. 보통 사람이 힘든 일을 겪었을 때 당시 상황을 잘 모르는 사람에게 얘기한다는 것이 쉬운 일이 아니다. 하지만 같은 고난을 겪은 사람들과 쏩쓸한 얘기들을 시시콜콜할 수 있다는 게 조금의 행운이었다. 무거운 일을 잠깐은 가볍게 넘기고 갈 수 있었다랄까. 그 행운이 없었더라면 난 상상하기 싫다. 아무런 생각 없이 정처 없이 한강을 서성거리지 않았을까. 짬뽕을 먹다가 문득 맞은편에 앉아있는 동료들의 얼굴을 슬쩍 바라보니 면발이 적당히 코로 넘어가는 듯했다. 짬뽕 한입에 소주 한 잔을 목구멍에 흘려보내는데 눈물이 치고 올라오는 걸 짬뽕과 소주가 막아주는 느낌이었다. 먹고 나오는 길에 이런 날도 기록해야 한다며 난 인생네컷을 찍자고 했다. 발로 차서 쓰레기통에 넣어버리고 싶은 기억들이 훗날 언젠가는 또 추억이 될 수도 있지 않을까 싶어서였다. 그 와중에도 내면의 파워 긍정걸인 나의 모습이 보여 헛웃음이 났다. 그렇게 짬뽕에 참이슬을 촉촉하게 적시고 집으로 향했다. 밀려오는 취기보다 몰려오는 두려움에 코끝이 시리지만 한편으로는 이제 조금 쉴 수 있겠다는 안도감과 해방감도 느껴졌다. 개그우먼이란 꿈을 꾸면서 무작정 서울을 올라왔지만, 모든 게 내 뜻과 생각한 대로라면 얼마나 좋을까. 하지만 역시 세상은 호락호락하지 않았고 혼자 살아가는 게 서툰 나에게 일과 꿈을 잡고 버텨낸다는 게 쉽지 않았다.

"어쩔 수 없는 일은 잊어야 한다. 지나간 일은 지나갔을 뿐이다."

셰익스피어 4대 비극 중 하나인 맥베스의 명언이다. 조금은 까칠하지만 날 단단하게 해줄 수 있는 명언이라 생각했다. 그래서 항상 마음에 스크래치 나는 힘든 일이 있을 때 마다 다소 날카로운 이 문장을 떠올리며 버텨냈다. 지나간 일들에 대한 후회나 미련에 한참을 머물기 보다는 빠르고 쉽게 이겨낼 수 있게 해준 말이였다. 꿈을 위해 서울이란 곳까지 올라왔고 내가 뭔가를 어서 이뤄야 한다는 마음에 다친 마음을 보듬으며 한참을 머무른 다는 것이 시간 낭비라 생각했다. 그래서 이 명언에게 도움을 많이 받았다. 아무쪼록 그때 이겨낼 힘을 준 셰익스피어에게 영광을 돌린다. 그렇게 잘 버텼다고 자부하지만 난 무언가 놓치고 있었다.

바로 나에 대한 위로와 관심이었다. 남들이 보면 앞으로 잘 나아가고 있어 보였지만 나의 걸음은 건강하지 못했다. 나를 돌아보고 보듬는 시간이 부족했고 당근과 채찍을 적절히 줬어야 했는데 남들에겐 당근을 잔뜩 주는 법을 누구보다 잘 알면서 스스로에겐 그저 따가운 채찍만 날리고 있었단 사실을 꿈을 잃고 나서 알게 되었다. 짤렸다는 소식을 듣자마자 내가 생각난 건 부모님께 어떻게 얘기하며 친구들에겐 또 뭐라 말해야 할까란 생각뿐이었다. 부모님과 친구들이 충격을 받겠지, 많이 걱정하시려나 괜찮으실까란 생각들 뿐이었고 망가지다 못해 뭉개져 피가 철철 나는 내 마음은 거들떠 보지도 않는 나의 모습이었다. 마음속 유혈 상태인 그 순간에도 내가 아닌 다른 사람을 생각만 하는 내가 한심스러웠다. 또 다른 한편으로 스스로에게 대한 미안한 마음이 들기 시작했다. 그러면서 자연스레 나의 감정을 되짚어 보다가 여기저기 깊숙히 자리 잡고 있던 상처들이 느껴졌다. 아픈 상처들을 보면서 이제 온전히 나에게 집중해야만 한다고 느꼈다. 그냥 나를 위해 할 수 있는 최선의 선택은 모든 연락을 받지 않기로 했다. 갑작스러운 해고 소식이 궁금했던 선배들, 장문의 위로 메세지들 그냥 다 꼴도 보기 싫었다. 원래의 나였다면 일일히 오는 전화를 받아가며

"아 네네 전 괜찮아요"

한 없이 미련한 괜찮다는 말만 내뱉을 것이 분명하니까.

그냥 아무하고도 소통도 하고싶지 않았다. 괜찮은 척할 힘조차 없었다. 그때 알았다. 전등이 나가버린 어둠이 가득한 길을 작은 손전등 하나로 밝혀 걸어가던 와중에 그거 마저 꺼져버린 상태. 귓가에 시끄러운 경보음이 울렸다. 거의 뭐 진돗개 발령이었다.

해고통보를 받고 난 직후 아침에 일어나 눈을 뜨면 한숨과 뜨거운

무언가가 속에서 끓어올랐고 이 상태가 계속될까 무서웠다. 어두운 방에 가만히 있으면 전에 몰랐던 알 수 없는 감정들을 털어내느라 힘이 들었다. 억울한 감정, 자괴감, 수치심, 분노, 폭력적인 언행, 등등. 그간 긍정적인 말과 행동을 해온 나로서 너무 당황스러웠다. 그런 부정적인 감정들이 한곳에 엉켜 다시 큰 슬픔으로 나에게 돌아왔다. 내가 뭘 원하고자 이렇게까지 돼버렸을까? 모든 감정이 주저 앉았다. 곧 무너질 꺼 같은 건물에 벼락을 맞아버린 복구 불분명 상태. 화가 났다가 눈물도 흘렸다가 허무한 상태로 창밖만 바라보고 있었다. 이 감정이 나아질까 싶었다. 그렇게 한참을 가만히 있었고 속절없이 시간은 계속 흐르고 있었다. 지나간 일을 탓하고 누군가를 욕한다 하더라도 이 상황은 달라질 리가 없었고 지금은 일단 무너진 나를 일으켜야 했다. 그래서 이대로 있을 수 없다고 생각했고 뭐라도 해야 했다. 그때 떠오른 건 어딘가를 떠나보는 것이었고 바로 생각난 건 좋아하는 제주도였다. 그렇게 다음 날 제주행 비행기표를 끊었다.

그게 무너진 나를 위한 또 잃어버린 나를 찾기 위한 여정의 첫 발걸음이었다.

1년 동안 발을 담그고 있었던 그곳은 나의 꿈을 이뤄준 소중한 곳이다. 하지만 21살 나에겐 버거웠던 것도 사실이다. 하지만 나 하나 힘들다고 하루 이틀하고 그만두기엔 어떠한 누구에겐 간절한 곳이었고 나를 지켜보고 응원하는 나의 사람들에게도 미안한 일이였다. 조금 요약해 말하자면 사회생활이 처음이고 이것저것 서툰 내가 많이 부족하게 느껴졌다. 사회생활을 잘 해내는 사람과 비교가 될 수 밖에 없었을 거 같았다. 그런 비교를 당했다는 부당함보단 더 잘해내야 한다는 부담감과 어떻게 이겨내야 할 지 모르는 상태가 더 힘들었다. 그런 복잡한 상태로 아침에 나갈 때마다 숨이 좀 막혔을 뿐. 그리고 그걸 그냥 대수롭지 않게 여길려고 노력했을 뿐. 난 괜찮은 척을 했었지 다소 괜찮지 않았다. 그렇게 꾸역꾸역 버텨가던 와중에 한순간에 잘려버리니 허무함과 당혹스러움이 가득했다.

많은 고민을 끌어안고 제주행 비행기에 탑승했다. 탑승 수속을 밟고 비행기 안으로 들어갔다. 의자에 앉으니 편안하고 아늑하다가도 복잡한 감정 상태는 너무나 불편했다. 여행을 홀로 떠나는 게 난생처음이었다. 혼자 하는 거에 대한 두려움과 겁이 많았던 나에게 불안정한 감정 상태는 도움을 줬다. 딱히 남 눈치도 보이지 않았고 누가 뭐라고 하면 화낼 준비를 단단히 하고 있었으니까. 곧 터질 거 같은 시한폭탄처럼. 안내 방송이 나오고 천천히 비행기가 이륙했다. 창밖으로 스쳐 지나가는 풍경을 보니 그 동안의 내 모습들이 떠올랐다. 왜 내가 이러한 상태가 되었고 그 이유가 무엇이며 뭘 위해서 이런 상태까지 스스로를 내버려뒀을까 화가 났다. 많은 의문이 들고 분노에 차 있는 그 상태의 답은 알 길이 없었다. 아무 생각도 없이 그저 가만히 멍을 때렸다. 번뜩 든 생각은 일단 그 해답이 나오지 않더라도 이 여행에 있어서는 온전히 나에게만 집중하는 시간으로 그저 흘러가 보기로 했다. 부디 다시 서울로 돌아올 땐 내가 조금은 채워지고 나아지기를 바랬다. 그새 비행기는 목적지에 무사히 착륙을 했다.

그렇게 제주에 도착했다. 날씨가 흐린 건지 내 눈이 흐리멍덩해 진

건지 알 길이 없는 상태였다. 공항에 들어와 화장실을 갔다 나오는데 거울 속 내가 보였다. 급히 챙겨나온 낡은 에코백, 질끈 묶여있지만 잔머리가 사방팔방 튀어나온 산발된 머리, 깃이 접힌지도 모른채 입고있던 코트 당시 나의 상태를 잘 설명해주는 착장이었다. 뭔 눈물은 자꾸 흐르는지 빨갛게 물든 코를 보아하니 산타를 잃어버린 루돌프 같기도 하다. 마음을 잡고 흐르는 물에 손을 씻어본다. 흐르는 물 따라 또 눈물이 흘렀다. 쌍! 누가 내 눈물 밸브 좀 잠가줬으면 했다. 그 땐 할 수 있는 게 눈물을 흘려 감정을 내보내는 일뿐이었다. 한참 울다 보니 지친다. 목도 마르고 배도 고프다. 시간은 흐르고 여기는 제주도다. 번뜩 정신이 차려지고 오른손으로 정수리를 세게 후려쳤다.

일단 슬픔보다 내가 가진 지금의 자유를 생각했다. 일을 하고 있었으면 지금의 이 순간에 난 제주도에 있을 수 없으니까 이렇게 안 되었으면 능력의 한계치에서 아슬아슬하게 줄타기 하다가 떨어질까 봐 걱정하고 눈치만 잔뜩 볼 텐데 이건 어떻게 보면 나에게 기회라고 봐도 괜찮을 거 같다는 생각에 나에게 한마디 건네보았다.

'까짓것 뭐 괜찮아. 잘 버티고 있는 거야 너.'

문득 그 순간 지금까지 나에게 필요했던 말은 날카롭고 정확한 팩트보단 따뜻한 위로의 말이라는 걸 알았다.

'괜찮다'는 말을 나에게 던지기 까지가 쉽지않았고 그렇면 안 되는 줄 알았다.

"괜찮아 다 잘될 거야. 야 너 만큼 열심히 하는 사람 있음 나와보라 그래." 남들에겐 잘하면서 나에겐 개미 코구멍 만큼도 해주지 못했던 말들이다. 그렇게 계속 나에게 괜찮다고 말을 건네다 보니 잿빛의 제주 풍경에 아주 미세한 햇빛 한줄이 들어오는 듯 했다. 구체적인 계획 없이 온 제주도라 일단 예약해 놓은 게스트 하우스로 향했다. 새로운 곳을 여행하는 것을 좋아하지만 이번엔 익숙한 곳에서 편안함을 느끼고 싶어 좋아하는 애월에 숙소를 잡았다. 난 애월이란 동네를 좋아한다. 전생에 이 동네 강아지였나 싶을 정도로 그냥 동네 골목을 걸으면 기분이 좋아진다.

꼬리를 흔들며 기분이 좋아보이는 강아지를 상상해 보면 마냥 걱정 없이 행복해보인다. 지금껏 나의 제주의 사진마다 헤벌레거리며 웃는 사진은 전부 애월에서 찍은 사진이다. 흔들 꼬리가 없어서 그렇지 애월에 올때마다 거의 기분 좋은 강아지랑 다를 게 없었다. 그만큼 애정이 가는 동네 '애월'이다. 조용하고 정감 있는 자그마한 집들이 귀엽다. 춥던 덥던 좁은 골목을 걷다보면 바다가 나올 거라는 희망에 딱히 힘들지도 않다. 그런 생각들이 지금의 나를 제주로 이끈 거 같았다. 조금의 위로와 희망이 되어줄 거 같단 생각에.

숙소에 도착을 했다. 한참을 뭔가 마려운 강아지처럼 들어갈까 말까를 고민하다가 겨우 문을 밀고 들어갔다. 긴 나무테이블에 남자와 여자분이 이야기를 나누고 있었다.

"안녕하세요, 저 오늘……."

"맞아요 하하하"

내가 들어왔는지 모르는 채 두분은 대화를 이어갔다.

"저 오늘 도미토리 여자……."

"아!! 네네 이쪽으로 오시면 되세요"

여자분이 대답을 해주었다. 조금은 무뚝뚝하고 차가운 말투였다. 혹시 내가 이 대화에 끼어든 불청객인가 싶었다. 그래서 나한테 차갑게 구는 것인가. 내가 뭘 잘못했나? 잠깐만 근데 이게 지금 손님한테 대하는 태도가 맞는 것인가 생각하며 일단 여자분을 따라갔다.

"이쪽에 짐 두시구 저녁엔 골목이 어두워서 위험하니까 가로등 꺼지기 전에 들어오셔요!! 아참 제가 말투가 조금 살갑진 않은 편이라 불편하시더라도 필요한 거 있으시면 문자 주시면 바로 도와드릴게요. 좋은 시간 되세요!"

"아 네!!감사합니다!!"

모든 말들이 나란 과녁을 정확히 겨냥해 오는 뾰족한 화살 같았다. 그 대화에 불청객도 딱히 뭘 잘못한 것도 아니었는데 자꾸 나로 인해 생겨난 문제인가 나를 돌아보다 오히려 상대방에게 화가 나버리는 쓸모없는 자격지심. 그런 자격지심으로 인해 나의 자존감이 바닥을 치고 있는듯했다. 긍정적인 마음가짐으로 살며 늘 자존감이 높다고 믿어왔던 내가 이렇게 변했다는 건 스스로에게 너무 충격이었다. 이런 모습이 낯설고 내 자신이 미웠다. 예전 나의 모습이 하나도 남아있지 않은 걸 확실히 알아버린 시점이었다. 가만히 있자니 속이 들들 끓어올라 근처 해수욕장으로 바다를 보며 좀 식혀보기로 했다. 차갑게 치는 파도가 뭐든 나아지게 해줄 것을 바라면서.

바람은 대차게 불고 곧 비가 내려버릴 듯 회색빛의 구름이 잔뜩 껴 있었다. 흐리다 못해 어둡고 얄궂은 날씨가 내 기분을 대신해 주는 거 같았다. 걷다 보니 얼핏 보이던 해수욕장 한눈에 가득 들어온다. 해변을 따라 그냥 걸었다. 매서운 파도가 날 삼킬까 봐 조금은 무서워서 조금은 멀찌감치 바다와 떨어진 채 묵묵히 걸었다. 한도 끝도 없이 파도가 친다.

거대한 파도가 큰 바위를 집어삼킨다. 파도에 가려져 그 바위가 보이지 않는다. 하지만 이내 파도가 걷히고 삼켜졌던 바위가 보인다. 거친 파도에 삼켜진 바위지만 그 바위의 단단하고 견고한 형체는 그대로이다. 파도를 이겨내 얼핏 더 견고하고 늠름한 바위의 모습이다. 어쩌면 지금 나 또한 파도란 시련이 잠시 나를 삼켰을 뿐이고 바위 같은 원래의 나의 모습은 분명 그대로 있을 것을 세차게 치는 파도와 견고한 바위가 알려주는 듯했다. 또다시 밀려온는 파도를 보면서는 이 파도는 결코 끝이 아니라 계속 밀려들어 올 수 있다는 것임. 지금의 내게 온 파도를 잘 견뎌낸다면 다음의 더 큰 파도들을 견뎌낼 수 있는 무시무시한 힘이 생길 것이라는 날 다독이며 해변을 한참을 걸었다.

한창 1월의 강추위가 기승을 부렸다. 휘몰아치는 바람에 이내 항복하고 근처 카페로 들어갔다. 들어가자마자 빵빵하게 틀어놓은 히터의 온기가 손끝부터 저릿하게 느껴졌다. 자리를 잡고 앉으니 바로앞의 넓은 바다가 통창 유리를 통해 눈에 가득 들어왔다. 어김없이 여전히 파도는 치고 있었다. 주문한 뜨거운 아메리카노를 한잔 마시며 바다를 하염없이 바라봤다. 거침없이 치다가 또 잔잔하게도 밀려 들왔다. 바라보는 동시에 내 머릿속으로 밀려오는 나의 파도에 부딪혔다. 무엇을 바라고 원해서 여기까지 달려왔는지 떠올렸다.

내가 나를 잃어가면서 지금, 이 상태로 당장 꿈을 지켜나갈 힘이 있을까?

인생은 속도가 아니라 방향이란 얘기를 듣고 나의 가치관과 잘 들어맞는다고 생각했다. 늦어지더라도 나만의 속도로 내가 원하는 방향으로 가면 된다고 나 자신을 믿고 여기까지 왔는데 이렇게 되고 나니 내가 선택한 방향에서 막다른 길을 만난 느낌이다. 길을 걸어가기 위한 힘도 없는 무기력한 상태. 이대로 걸어가다간 몇 걸음 못가 대차게 넘어질 거 같았다.

어쩌면 난 잠시 쉬어야 할 때라는 것을 알았다. 그냥 잠시 멈춰야했다. 일시정지를 하고 나를 재정비할 시간이 필요했다. 답이 없었다. 누구보다 내 스스로가 제일 답답했고 스스로 결정을 내리는 것도 벅찼다. 또 나의 선택에 대한 주변시선이 두렵고 무서웠다. 하지만 더 아찔했던건 망가진 내 모습이었다. 그렇게 난 잠시 일시정지란 최선의 선택을 내렸다. 주변 사람들의 말에 잠시 흔들리더라도 나의 원래의 목표는 스스로 단단히 잡고 있기로. 앞으로 더 나은 내가 되기 위해 꼭 걸어가야 하는 길이란 것과 조바심을 내지 않겠다는 마음으로. 그리고 이건 인생의 낭비가 아니라 단단해진 내가 되어가는 시간이니 스스로 잘 견뎌 보자고 다짐했다.

연기가 폴폴 나는 뜨거운 아메리카노를 냉수마냥 벌컥벌컥 마셨다. 다시 바다를 바라보았다. 일렁이는 파도에 일련의 생각들을 차곡차곡 정리해 갔다. 바다보고 생각정리하다 다시 울고, 이 쓰리콤보를 두어 번 반복하다 보니 저녁을 먹을 시간이 되었다. 가까운 곳의 식당을 찾았다. 흑돼지구이 집이라고쓰여 있는 식당. 아무도 혼자서 가는 사람이 없었고 단체 손님들이 가득했다. 난 그냥 무작정 들어갔다. 대뜸 큰소리로 고기와 소주 한 병을 시켰다. 아직도 혼자 고깃집에 가서 먹은 날이 저 날 뿐이다. 그거참 대단한 강심장이었다. 눈빛은 마치 결의를 다짐한 장군이였다. 내가 알지 못하는 숨겨진 자아였다랄까. 그 새 나온 새침한 선홍빛 고기는 이글거리는 불판 위에서 익어갈 준비를 했다. 시간이 지나면서 고기는 따뜻한 갈색빛 옷을 입기 시작했다. 잘 익어가고 있었다. 익은 고기를 앞접시에 놓고 곧장 소주를 입에 털어 냈다. 짜릿하고 달콤했다. 쓰디쓴 소주의 뭔지 모를 오묘한 맛이 날 설레게 했다. 고기 한 점을 먹고 입가에 조금은 안도의 미소가 지어진다. 제주를 온 이후 처음 평온한 마음 상태가 느껴지기 시작했다. 특별히 미친 듯이 맛있지는 않았지만 이렇게 나은 기분이 들기 시작했다는 고장난 감정의 생사를 알 수 있던 안도감이였던 거 같다. 다행이었다. 그렇게 식사를 마쳤다. 계산하고 나오는 길에 고깃집 사장님이 귤 3개를 대뜸 주셨다. 농사지은 귤이라고 하시며 모양은 좀 못났지만 맛은 기가 막힌다며 손에 쥐여주시며 가는 길 안전히 조심히 가라고 하셨다. 사뭇 차디찬 귤이 주머니에 들어있던 핫팩보다 따뜻하고 온기가 있는 건 기분 탓인가 했다.

　문을 열고 나오니 취기가 올랐다. 취기 한방에 조금은 다듬었다고 생각했던 감정이 다시 무너진다. 아까 다진 결의는 어디로 가고 그냥 또 어린아이마냥 눈물 콧물이 또 한 번 스멀스멀 기어나와 깽판부르스를 벌인다. 혼자서 우는 게 버릇이 된 나는 남들 앞에서 눈물은 한

방울도 나지 않는다. 나올지언정 끝까지 참는 게 맞고 당연한 줄 알고 늘 참고 참다 홀로 집에 들어오자마자 눈물을 터뜨린 적이 많다. 울보라고 놀려도 뭐 할 말이 없다. 그렇게 그동안 많이 참았던 게 물밀듯 쏟아져 나오는 듯했다. 그렇게 한참을 걸어가며 닦은 눈물로 소매가 축축해질 때 쯤 숙소에 도착했다. 환하게 불이 켜진 숙소 옆 식당엔 사람들이 여럿 모여있었다.

카페에 있을 때 게스트 하우스 파티 참석 여부 문자가 왔었는데 아마도 그게 맞는 거 같았다. 뽀로로 버금가게 노는 걸 좋아하는 나지만 참석여부 문자를 보고 답도 하지 않았다. 모여있는 사람들을 한참 바라보다 숙소로 바로 들어왔다. 혹시나 다른 사람에게 술 냄새를 풍길까 봐 입을 꾹 다물고 눈물과 콧물 범벅인 빨개진 코를 한 손으로 가리며 숙소 문을 조심히 열었다. 다행히도 진행 중인 파티 덕분에 아무도 없었고 이내 참았던 숨을 크게 내쉬었다. 큰 한숨을 내려놨다. 아무도 안 마주치길 바랐는데 파티를 열어주신 게스트 하우스 사장님께 무한 감사를 돌렸다. 얼른 씻고 숙소 안에 들어가 조용히 누웠다. 포근한 이불과 아늑한 침대가 추웠던 몸과 마음을 둥실둥실 달래줬다. 그새 잠이 들었고 술기운과 숙취 탓에 새벽 4시쯤 눈을 떴다. 보통이면 다시 자는데 시간이 아까웠다. 서울로 올라가는 시간이 얼마 남지 않아서였다. 마음 같아선 한 달 정도 있고 싶지만 나름의 걱정을 한 아름 안고있는 엄마가 서울로 올라오시기로 한 날이라 가야 했다. 내 감정을 어느 정도 달랬으니 놀랐을 엄마의 마음도 걱정이 되어서였다. 엄마에게도 나를 숨기기엔 난 나름 성실한 효녀기 때문에 엄마가 나 때문에 마음이 아픈 게 싫었고 일부러 오래 있지 않을려고 한 것도 있었다. 제주에 있다 보면 일주일이 이주일이 되고 이주일이 한 달을 채우다 머지않아 제주도민이 될 거 같은 느낌이 들어서였다. 사실 제주도민도 좋지만 이렇게 내가 얻은 소중한 시간을 잘 계획하고 내가 하고 싶은 일들로 채워보고 싶어서였다. 근데 뭐 한 번쯤은 제주도민이 되어도 나쁘진 않았을 거 같다. 아마 언젠간 실현할 수도? 그렇게 둘째 날이자 마지막 날의 새벽 4시의 난 근처의 오름을 오르기로 했다. 숙취도 장난 없는데 오름이 웬 말이냐. 지독하게 힘들 걸 알면서도 또 결의에 찬 장군의 눈빛으로 늠름하면서도 조심스레 얼른 짐을 챙겼다. 산발이 돼 있는 머리를 하나로 질끈 묶고 걸려있는 코트를 주워 입고 택시를 불렀다. 혹시나 내 소리에 잠이 깨는 사람이 있을까 싶어 가방을 들고 조용히 까치발로 살금살금 문을 열고 나오자마자 장발에 수염이 가득한 잠 덜 깬 남자분과 눈이 마주쳤다. 도망가다 들킨 도둑처럼 놀란 난 눈을 피하고 나가려고 하는 와중에 남자분이 나에게 말을 걸었다

"어디가세요? "

"저 새별오름이요!!"

" 오 지금가면 일출 볼 수 있을 텐데 예뻐요 되게! 조심히 가세요"

"아 네, 택시가 왔나?,"

다정하고 따뜻한 말 한마딘데 뭔가 엉킨 감정의 나는 택시도 안왔는데 괜히 바쁜척을 하며 서둘러서 숙소를 나왔다. 새벽에 본 그 남자분의 미소는 아직도 나에겐 식지 않는 따뜻한 기억이다. 바쁜척은 왜

해서 오지도 않은 택시를 탄다고 그 자리를 피했으며 좋은 여행되라는 말 한마디를 못했을까. 감정이 고장나서 그땐 정말 고장난 로봇처럼 뭐라고 말해야 할지 떠오르지 않았다. 그렇게 밖에서 기다리며 추위에 떨다보니 저기 멀리 비상등을 깜빡거리는 택시가 보였다. 겨울의 새벽이라 불이 없으면 앞이 안 보일 정도의 어둠이었다.

택시를 타고 짙은 어둠이 가득 깔린 새벽길을 한참 달렸다. 아직 어제 마신 술의 향기가 온몸에 가득했다. 어제 본 몰아치는 파도같이 올라오는 뒤집어진 속을 어르고 달래다 보니 새별오름에 도착했다. 내릴 때쯤 택시 아저씨가 혼자는 위험하다며 조심하라는 당부와 요즘 뱀이 나온다는 심상치 않은 말을 들었다. 원래 겁쟁이인 나는 절대 혼자 못 갈 텐데 숙취와 더불어 상당히 맨정신이 아니었던 그날의 나라서 가능했다. 캄캄한 어둠에 보이지도 않았고 새벽의 한기로 완벽히 둘러싸인 새별오름을 오르기 시작했다. 가득한 어둠 탓에 앞이 거의 보이지 않았다. 서리가 잔뜩 내린 바닥은 빙판길처럼 미끄러워서 잠깐 한눈팔면 넘어지기 다반사였다. 한참을 미끄러지다 옆에 있는 두꺼운 밧줄에 의지하면서 올라갔다. 숙취를 잊을 만큼의 턱턱 막히는 숨이 내 정신을 사납게 해 잠깐 숨을 고르려고 뒤를 돌아봤다.

무겁게 깔린 어둠은 어디론가 사라졌고 해가 뜰 준비하듯 분주하게 움직이는 하늘이 보였다. 언제 어두웠다는 듯 밝아진 풍경에 연신 감탄하고 잠시 숨을 돌렸다. 고른 숨과 남은 힘을 쏟아부어 오름의 정상으로 향했다. 정상에 올라 뒤를 돌아보는 순간 스산했던 어둠은 온데간데없고 아름다운 경관이 나의 거친 숨을 달래줬다. 한 겨울이라 파릇한 오름의 색은 아니지만 연한 갈대색을 띠고 있는 오름. 초록빛의 싱그러움은 없지만 사계절을 잘 버틴 농익은 갈색빛이 나에겐 오히려 굴하지 않는 강인함을 줬다. 간신히 버틴 숙취와 한껏 차올랐던 숨이 날 어지럽게 했지만 오길 잘했단 생각이 수만 번 들었다. 또 구름과 구름 사이에 핑크빛이 도는 듯한 하늘과 커다랗고 웅장한 오름이 어우러져 말로 할 수 없는 장관이었다. 가만히 풍경을 감상하다 보니 곧 일출 시각이었다. 눈치를 보다 사람들을 졸졸 따라가 보니 일출을 보기 좋은 곳들이 많았다. 사람들 사이에 껴서 일출을 기다렸다. 주변 사람들의 온기에 추위가 조금 덜했다. 한파의 강한 추위였지만 해를 기다리는 사람들의 얼굴엔 밝은 미소들이 가득했고 나 또한 그러했다. 그리고 조금 있다가 사람들이 환호를 시작하고 해가 떠오르기 시작했다. 떠오르는 해의 넘치는 빛은 반갑게 오름에 밝은 아침을 선물했다. 그렇게 오지 않을거 같은 아침은 왔다. 그렇게 난 제주에게 나를 위한 시간이란 값진 선물을 받고 새로운 출발을 다짐했다.

　제주에 도착했을 때 날 반겼던 날카로운 칼바람과 잿빛의 풍경들이 단번에 선명한 컬러의 풍경으로 바뀌는 건 바라지도 않았다. 그냥 잔잔한 햇빛이 조금이라도 들어온다면 다행이겠거니 그 햇빛이 환하게 점차 번져나갈 수 있길 바랐다. 떠오르는 해를 본순간 내가 바란 한 줄기의 햇빛이 들어오는 듯했다. 그렇게 해는 점점 온전하게 다 떠올랐고 제주도에 와서 처음으로 웃음을 지을 수 있었다. 물론 눈물 한 서너 방울이 어우러진 온전하진 못한 미소였지만 나아질 수 있을 꺼라는 희망과 또 언제 이 슬픔이 날 휘감을지 모른다라는 두려움. 상반

되는 모든 감정을 떠나 나 자신을 더 알게 되고 옳은 방향으로 전진할 수 있을 거라는 확신은 분명히 들었다.

　-이러한 경험과 시간이 날 더 단단히 만들어 줄 테니 낙담하지 않기로

　-그간 고장난 감정들을 잘 풀어 나가길

　-나에게 조금 다정해지기를

　-남들의 시선과 이야기에 많이 휘둘리지 말기로

　-감정에 조금은 솔직해져 보기를

　-늦어지더라도 원하는 방향으로 건강하게 나만의 속도로 전진해 보기로

　그해 제주에게 던진 나의 바람은 간략히 이러했다. 어지럽혀진 생각들이 조금은 정돈이 되었고 차차 나아질 거란 희망이 보였단 사실만으로도 난 큰 안도감을 느꼈다. 그래 오길 잘했다. 몸을 일으키는 것만으로도 힘들었지만 이겨내 보려 발버둥 쳐보니 나름 어쩌면 괜찮은 상황이었다는 것을 느꼈다. 물론 앞으로가 힘들더라도 지금의 이 순간 나를 돌아봤던 계기로 몇 번이고 날 일으킬 힘을 얻은 듯했다. 서울로 가는 비행기를 탔다. 출발할 때 느꼈던 묵직한 두려움은 아마 조용히 사라졌다. 서울에서 제주로 오는 비행이 시작될 때 나의 모습이 떠올랐고 그때의 나를 조용히 안아주었다. 한없이 무너져 정신이 없는 와중에 어떻게든 일으켜보려 제주행 비행기에 올라 여기까지 와준 나에게 고마운 마음이 들었다. 그렇게 난 단잠에 빠져들었다.

그렇게 나의 여행은 끝났지만 새로운 내가 되어가는 또 다른 여정의 시작을 알리는 경적소리가 들려왔다. 끝이 아닌 낯선 멈춤에서 일어나야 할 나를 잘 끌고 나아가보기로 했다. 쉽지 않는 여정에 또 도전하는 나를 날카로운 시선이 아닌 조금은 따스한 눈빛으로 이해해 줄 것을 다짐으로 짧지만 깊고 짙었던 여행이 그렇게 끝이 났다.

그해, 잔잔히 나를 안아줬던 제주와 고장난 감정을 다스리며 잘 버텨준 나에게 또 한번 감사하며.

마지막으로 이 글을 읽는 모두가 건강한 걸음으로 안전하고 무사히 자신의 길을 걸어가길 바라보며 모두의 오늘또한 무사 안녕하길!

# 그럼에도 지구는 오늘도 정상운영

**발행** 2024년 05월 10일
**지은이** 장새리, 신승철, 남우형, 원나윤, 이정우, 윤종원, 김체리

**라이팅리더** 현해원
**디자인** 조효빈
**펴낸이** 정원우
**펴낸곳** 글ego
**출판등록** 2022.04.12 (제2022-000125호)
**주소** 서울특별시 강남구 강남대로 118길 24, 3층(논현동)
**이메일** writing4ego@gmail.com
**홈페이지** http://egowriting.com
**인스타그램** @egowriting

**ISBN** 979-11-6666-477-9